CLAIRE

TOI, L'AMOUR, LA SEXUALITÉ

GUIDE À L'USAGE DE L'ADOLESCENTE

Du même auteur:
Comment devenir et rester une femme épanouie sexuellement
© Édimag 1988
L'orgasme de la compréhension à la satisfaction
© Édimag 1989
Tests pour amoureux
© Édimag 1992
La jouissance féminine
© Édimag 1993

Case postale 325, Succursale Rosemont
Montréal (Québec) Canada, H1X 3B8
Téléphone: (514) 522-2244
Télécopieur: (514) 522-6301

Éditeur: Pierre Nadeau
Photos: Pierre Dionne
Illustrations: Geneviève Comtois
Maquillage: Macha Colas
Coiffure: Guy Paré
Mise en pages: Iris Montréal Ltée

Distributeur pour le Canada
Les Messageries ADP
955, rue Amherst
Montréal (Québec), H2L 3K4
Tél.: (514) 523-1182
Télécopieur: (514) 939-0406

Dépôt légal: quatrième trimestre 1994
Bibliothèque nationale du Québec
Bibliothèque nationale du Canada

ISBN: 2-921207-97-4

Table des matières

Quelques mots de l'auteur

Je suis sexologue. Peut-être me connais-tu déjà? Tu m'as entendue à la radio, vue à la télé ou encore as-tu lu mes chroniques dans le magazine *Filles D'Aujourd'hui.* Peut-être ne sais-tu rien de moi? De toutes façons, ça importe peu. Ce qui compte surtout, c'est que ce livre te rejoigne.

Si tu jettes un coup d'œil à la table des matières, tu constateras que certains des thèmes abordés sortent un peu des sentiers battus. C'est que, vois-tu, d'après moi, la sexualité n'est pas qu'une question de plomberie ou de mécanique. Bien sûr, la contraception, les menstruations, les MTS, il faut en parler. Mais la sexualité ce n'est pas que ça! C'est aussi fait de plaisir, d'émotions, d'amour! C'est surtout de ça dont j'ai voulu te parler.

Ce livre, je l'ai écrit en pensant à toi, aux questions que tu te poses. C'est pour ça qu'il a la forme de «question-réponse». Et je voulais qu'il te ressemble. C'est pour ça qu'il est illustré par une adolescente, comme toi. Les illustrations que tu retrouveras dans ce livre, (incluant, bien sûr, la page couverture), sont l'œuvre de Geneviève Comtois. Elle a 15 ans, du talent et de l'humour à revendre. Je la remercie énormément. Une pensée spéciale également à toutes les filles qui m'ont envoyé des dessins, à la suite de l'appel lancé lors de l'émission *Ad Lib* animée par Jean-Pierre Coallier; l'imagination et l'intérêt étaient au rendez-vous. Merci enfin au Dr Danièle Rousseau, gynécologue, qui a eu la gentillesse de revoir les chapitres plus techniques.

J'ai eu du plaisir à écrire ce livre. J'espère que tu en auras aussi à le parcourir. Bonne lecture!

Claire Bouchard

L'illustratrice: Geneviève Comtois

Voici ce que Geneviève nous dit d'elle:

«Je suis née le 31 août 1979, par une belle journée ensoleillée. Je pratique le ski alpin, le roller-blade, la bicyclette et la natation. Mon animal de compagnie est un rat, un gentil rat. Je joue un peu de guitare et, bien sûr, j'aime dessiner. J'aimerais plus tard devenir réalisatrice pour le cinéma. Ma passion: ce qui touche au fantastique, le médiéval, les dragons, les elfes, les fantômes. J'ai même une épée! Un jour j'aurai peut-être une armure.»

Geneviève étudie présentement à l'école Sophie-Barrat, à Montréal, et c'est elle qui, cette année, illustre l'agenda scolaire. C'est une fille saine, intelligente et remplie d'imagination et d'humour. J'ai beaucoup aimé travailler avec elle. En fait, une seule chose me désarçonne un peu chez Geneviève: son rat! Je l'ai vu, je l'ai touché. C'est vrai, il semble gentil. Mais comme je ne suis plus tout à fait une ado, elle me pardonnera sûrement mon manque d'enthousiasme face à son charmant petit rongeur...

Première partie: TOI

À la découverte de ton corps

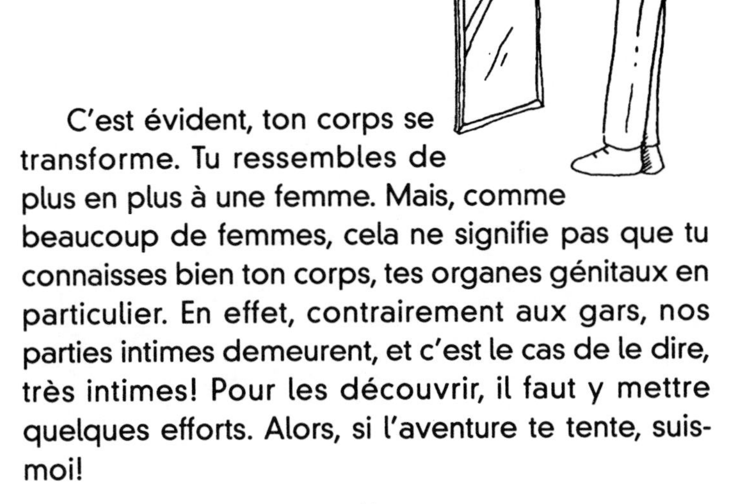

C'est évident, ton corps se transforme. Tu ressembles de plus en plus à une femme. Mais, comme beaucoup de femmes, cela ne signifie pas que tu connaisses bien ton corps, tes organes génitaux en particulier. En effet, contrairement aux gars, nos parties intimes demeurent, et c'est le cas de le dire, très intimes! Pour les découvrir, il faut y mettre quelques efforts. Alors, si l'aventure te tente, suis-moi!

• Les gars ont un pénis. Moi, j'ai l'impression qu'à part un «trou», je n'ai pas grand-chose. Est-ce que je me trompe?

Oui, totalement! Ce n'est parce que nos organes sont en grande partie intérieurs qu'ils n'existent pas! La figure1 te montre à quoi ressemble ta vulve. «Vulve» est le nom qu'on donne aux organes génitaux externes de la femme. Cet ensemble est constitué du pubis, du clitoris, des grandes et des petites lèvres et de l'entrée du vagin. La figure 2 montre tes organes génitaux internes. Comme tu peux le constater, il s'agit d'un espace qui renferme plusieurs éléments. Cela n'a pas grand-chose à voir avec le terme «trou» qu'encore trop de gens utilisent encore pour désigner cette partie du corps de la femme.

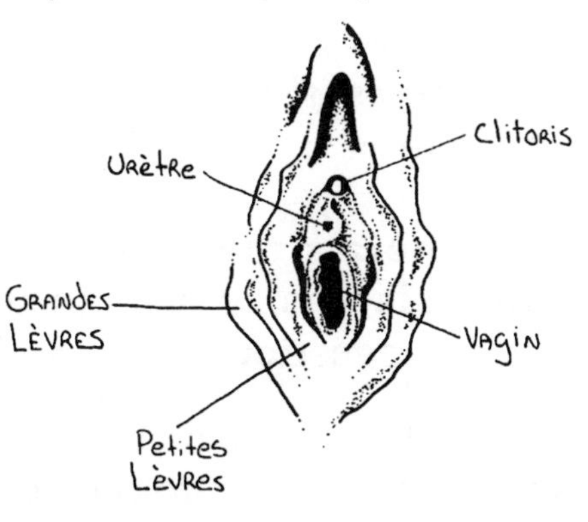

Figure 1

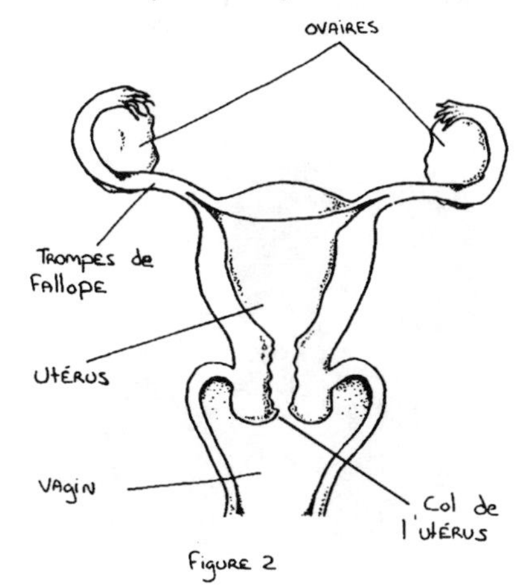

Figure 2

De plus, même si toutes les femmes ont une vulve, un vagin, un utérus, des trompes de Fallope, etc., il n'y a pas une femme qui ait des organes génitaux identiques à ceux d'une autre femme. C'est un peu comme le visage: on a tous et toutes un nez, une bouche, des yeux, des lèvres, mais chacun a un visage unique. Il en va de même pour tes organes génitaux. Ils sont à la fois semblables et différents.

• J'aimerais me connaître mieux, mais je ne sais pas trop comment faire. As-tu des suggestions pour moi?

Une bonne façon de mieux connaître ton corps est de le regarder. Voici ce que je te suggère de faire. Premièrement, assure-toi d'être dans un lieu où tu te sentiras à l'aise et où tu seras sûre de ne pas être dérangée (par exemple, ta chambre).

Ceci est très important car, si tu n'as pas l'intimité nécessaire, tu seras stressée et tu ne profiteras pas pleinement de cette petite expérience. Si tu te sens un peu nerveuse, commence par prendre un bon bain chaud. Cela t'apaisera.

Maintenant, voici les accessoires néces

saires à ce petit examen: un miroir, une lampe de poche et ce livre. Tu t'installes confortablement sur ton lit. Assieds-toi le dos appuyé contre quelques oreillers. Replie les genoux vers toi et éloigne tes jambes l'une de l'autre. Assure-toi que la lampe est placée pour que ta vulve soit bien éclairée. D'une main tu tiens le miroir et de l'autre tu écartes tes grandes et tes petites lèvres. À l'aide de l'illustration 1, essaie d'identifier chacune des parties de ta vulve. Prends ton temps.

Tu verras peut-être un liquide blanchâtre à l'entrée du vagin. Ces sécrétions qu'on nomme souvent «pertes blanches» sont normales. À certains moments de ton cycle menstruel, elles seront plus ou moins abondantes et leur épaisseur variera. Il est aussi normal que ces pertes dégagent une certaine odeur. Par contre, si elles sont jaunâtres ou verdâtres et (ou) si cette odeur est un peu trop forte à ton goût, consulte un médecin sans tarder. Il est possible que tu aies une petite infection vaginale.

Mais revenons à l'examen de ta vulve. Une fois que tu as bien identifié les différents éléments qui la composent, demande-toi comment tu trouves cette partie de ton corps. Avant de répondre que ce n'est pas beau, prends le temps de bien l'examiner. Oublie ce que tu as entendu à propos des organes génitaux féminins et essaie de te faire ta propre opinion. Rendue à ce point, peut-être ressentiras-tu une certaine gêne. À ce moment-là, arrête. Tu recommenceras cette petite expérience à un autre moment.

Cette partie de ton corps n'est pas laide. Bien sûr, si tu décides à l'avance qu'elle est laide, tu la verras ainsi. Par contre, si tu la regardes de manière plus objective, tu pourras même trouver certaines ressemblances entre ta vulve et un coquillage, l'intérieur d'une fleur, une pomme coupée en deux, la flamme d'une bougie, un nœud d'arbre, etc. Comme tu vois, encore une fois, on est loin du «trou»...

Cet auto-examen ne t'apportera pas de sensations extraordinaires. Il te permettra simplement d'apprivoiser cette partie on ne peut plus féminine de ton anatomie. Ton corps t'appartient! Si tu le connais bien, tu t'en sentiras véritablement la propriétaire.

• Quand un gars est excité, il a une érection. De mon côté, y a-t-il quelque chose qui se passe?

Tes organes génitaux ne sont pas là que par parure. Comme ceux du garçon, ils réagissent à certaines stimulations. Par exemple, si un gars est excité sexuellement, il aura une érection. L'équivalent féminin de l'érection est la lubrification. Il s'agit d'un phénomène moins visible que l'érection chez l'homme, mais il est tout aussi réel et a une aussi grande importance pour ton fonctionnement sexuel. Je t'en dis un peu plus là-dessus.

L'érection chez l'homme est causée par un afflux de sang dans le pénis. Cet afflux de sang fait grossir et durcir le pénis, un peu comme un ballon.

La fonction de l'érection, c'est de faciliter éventuellement la pénétration. La lubrification féminine est aussi causée par une congestion sanguine. Cette congestion des parois vaginales crée un phénomène de sudation (un peu comme de la sueur). C'est cela qui cause la lubrification. La fonction de cette dernière est aussi de faciliter la pénétration. Comme tu vois, ce sont deux manifestations complémentaires. L'une est peut-être plus évidente que l'autre au premier coup d'œil. Mais cela n'enlève rien à l'utilité de la lubrification.

Voici un autre exemple des réactions de tes organes génitaux. À l'état normal, tes parois vaginales sont accolées l'une à l'autre et ton utérus est dans le fond de ton vagin. Si tu as une excitation sexuelle, ton utérus se soulèvera et fera que ton vagin deviendra plus grand et plus large. Cela ressemble un peu à ce qui se produit quand on dresse une tente et qu'on dispose le ou les pôteaux. Cela donne de l'espace. C'est ce qui se produit dans le vagin. Encore là, la fonction de cet «effet de tente» est de faciliter l'intromission du pénis dans le vagin.

Je pourrais te parler de bien d'autres phénomènes relatifs à tes organes génitaux. Mais ce qui importe surtout, ce n'est pas de connaître tout ça sur le bout de ses doigts. Ce qui est essentiel, c'est plutôt de savoir que nos organes génitaux réagissent différemment mais tout autant que ceux des garçons.

• Moi, ce qui me dérange, ce ne sont pas mes organes génitaux, ce sont mes seins qui sont laids. Y a-t-il quelque chose à faire?

Beaucoup de filles et de femmes ont de la difficulté à accepter leurs seins. Selon le cas, elles les trouveront trop petits ou trop gros. Souvent cette insatisfaction est liée à l'idée qu'on se fait des préférences des hommes. Celles qui trouvent leurs seins trop petits se sentent complexées parce qu'elles s'imaginent que les gars ne sont attirés que par les filles qui ont une poitrine généreuse. Et celles qui ont des seins qu'elles jugent trop gros ont l'impression que les gars préfèrent les filles qui ont un petit buste.

En fait, ces filles sont toutes dans l'erreur. Certains gars vont être attirés par les filles qui ont de gros seins et certains autres, par les filles qui ont des petits seins. Il n'y a pas de règle fixe pour ça. Tu sais, dans les années cinquante, le symbole sexuel par excellence, était Marilyn Monroe: hanches larges et seins rebondis. À la fin des années soixante, on se pâmait pour un mannequin anglais du nom de Twiggy qui n'avait ni seins, ni hanches, ni fesses. Comme tu le vois, la mode peut aussi avoir son rôle à jouer dans tout ça.

Gros, petits ou moyens seins, ce n'est pas cela qui compte vraiment. L'important c'est que tu t'acceptes telle que tu es. Si tes seins sont gros et lourds, assure-toi simplement de porter un soutien-gorge qui t'offre un soutien suffisant. S'ils sont trop petits à ton goût, porte des vêtements (bustiers par exemple) qui les mettront en valeur. Enfin, si tu as quatorze ou quinze ans et que ta poitrine n'a pas vraiment commencé à se développer, ne t'en fais pas trop. L'âge de la puberté n'est pas le même pour toutes les filles. Cependant, si cela t'inquiète vraiment, consulte un médecin.

Les menstruations: petit guide pratico-pratique

Les menstruations! Je sais, tu trouves ça très plate! La plupart des femmes seront d'accord avec toi: il ne s'agit pas de la partie la plus rigolote de notre féminité. Toutefois, cela ne constitue pas un drame non plus. Avec quelques petits trucs et une attitude positive, tu peux sûrement bien passer à travers ces quelques jours un peu différents.

- **Quand on est menstruée, on saigne, ça je le sais. Mais peux-tu me dire ce qui cause les menstruations?**

À la puberté, tu commences à sécréter de l'œstrogène et de la progestérone. Ces hormones sont responsables des changements qui se produisent dans ton corps et qui feront de toi une femme.

L'œstrogène et la progestérone sont aussi responsables de ton cycle menstruel. Au début du cycle, c'est l'œstrogène qui permet à un ovule par mois de mûrir et d'être libéré. En même temps, toujours sous l'influence de l'œstrogène, une muqueuse se forme dans l'utérus. Lorsque l'ovule est libéré (vers le 14e jour) il se déplace de l'ovaire jusqu'à l'utérus en passant par les trompes de Fallope. On appelle cela l'ovulation.

Au moment où l'ovaire libère l'ovule, il se forme sur l'ovaire une espèce de croûte: il s'agit du corps jaune. Ce dernier produit une autre hormone: la progestérone. Si on n'est pas enceinte (c'est-à-dire si l'ovule n'a pas été fécondé par un spermatozoïde), le niveau de la progestérone s'abaissera vers le 28e jour. Répondant à ce signal, le corps se débarrassera de la muqueuse formée au début du cycle. C'est alors que commencera la menstruation.

- **Est-ce qu'on perd beaucoup de sang durant les menstruations?**

Certaines filles ont des menstruations plus abondantes que d'autres. Mais bien qu'on puisse avoir l'impression de se vider de son sang, en fait, le flux menstruel varie de 30 à 150 ml (un demiard de lait équivaut à 250 ml). Comme tu le vois, c'est beaucoup moins que ce qu'on a l'impression de perdre.

Toutefois, si tu remplis un tampon ou une serviette hygiénique en moins d'une heure, si tes règles durent plus de sept jours et si tu remarques que, souvent, des caillots de sang se forment, il serait plus prudent de consulter ton médecin. Ce n'est peut-être rien, mais il vaut mieux prévenir que guérir.

Si tu as peur de tacher tes vêtements, tu peux porter deux serviettes à la fois ou mettre un tampon et une serviette. Tu peux aussi choisir un autre jour pour étrenner ton beau pantalon blanc ou ta magnifique jupe rose...

- **J'aimerais utiliser des tampons mais j'hésite parce que je suis encore vierge. On m'a aussi parlé de risque d'infection. Qu'en penses-tu?**

Même si tu es encore vierge, tu peux très bien utiliser des tampons. Il n'y a aucune contre-indication à ça. Par contre, que tu sois vierge ou non, n'oublie pas de les changer régulièrement, de préférence à toutes les trois heures, comme tu le ferais pour une serviette sanitaire. Ceci afin justement d'éviter les infections. En effet, dans de très rares cas, les tampons peuvent être la cause d'une maladie appelée «choc toxique». Celle-ci, qui peut avoir des conséquences assez graves sur la santé d'une fille, se produit lorsqu'on porte un tampon trop longtemps (genre 10-12 heures). Tu comprendras alors qu'il n'est pas recommandé d'utiliser les tampons durant la nuit.

• Être menstruée, j'haïs ça! Est-ce que je suis normale?

Oui, tu es le modèle tout à fait normal. Certaines filles sont plus dérangées que d'autres par leurs menstruations, mais je n'en connais aucune qui dise que cette période est la plus joyeuse de son mois.

D'ailleurs, de tout temps la menstruation a été perçue comme quelque chose de mystérieux. Dans notre société, on y a longtemps vu que des éléments négatifs. Quand une mère disait à sa fille: «Qu'est-ce que tu veux, ma petite fille, c'est ça être une femme», il n'y avait rien de très valorisant là-dedans. La menstruation était un peu comme une punition venant en droite ligne du ciel. C'était une malédiction devant laquelle on ne pouvait rien faire d'autre que d'endurer et prendre son mal en patience.

Depuis, cela a beaucoup changé! En général, les filles d'aujourd'hui sont beaucoup mieux informées. Il y a à peine vingt ou trente ans, il n'était pas rare qu'une fille soit menstruée sans savoir ce qui lui arrivait! Aujourd'hui, de tels cas existent toujours mais il s'agit de l'exception plutôt que de la règle. Aussi, on essaie de montrer aux filles les beaux côtés de la menstruation; devenir une femme, pouvoir avoir des enfants, etc. Dans certaines familles, on fait même une fête lorsqu'une fille arrive à cette étape de sa vie. C'est une façon de dire qu'il s'agit là d'un événement heureux.

Toutefois, on ne peut nier les côtés moins le «fun» de la menstruation: les sautes d'humeur, les crampes, la fatigue, les cheveux plus gras que d'habitude, la transpiration plus abondante. Remarque, ce ne sont pas toutes les filles qui ont ces symptômes. Certaines n'en ressentent aucun, tandis que d'autres en ont toute une panoplie. Si tu appartiens à cette dernière catégorie, comprendre ce qui se produit t'aidera sans doute à mieux t'adapter à la situation et à y faire face le plus agréablement possible.

• Mais qu'est-ce qui cause tous ces désagréments?

Comme on l'a vu précédemment, ton cycle menstruel est sous le contrôle de deux hormones: les œstrogènes et la progestérone. Tout ton corps (y compris ta tête) ne peut rester insensible aux modifications hormonales qui se produisent à certaines périodes de ton cycle. Quand le niveau de tes hormones change, tu changes. Ainsi, avant les menstruations, tu peux voir tes seins se gonfler et devenir plus sensibles, tes cheveux te sembleront peut-être plus gras, des boutons (qui n'ont rien à voir avec l'acné) apparaîtront sur ton visage, ton humeur sera différente. Ces changements, s'ils ne surviennent pas chez toutes les filles de la même façon, sont dus aux modifications hormonales qui causent la menstruation. Tu n'as pas à t'inquiéter.

• Je suis bien contente de ne pas m'inquiéter, mais j'ai vraiment un caractère de chien durant mes menstruations. Y a-t-il quelque chose qui pourrait m'aider?

Sois attentive à ce que tu ressens vraiment. Si tu as l'impression d'être un «presto» prêt à éclater, ce n'est pas le temps d'avoir une discussion avec ton frère au sujet de ta bicyclette qu'il t'a empruntée sans permission ou avec ta mère sur ton heure de rentrée le vendredi soir. Attends de te sentir plus sereine et moins fragile.

Une autre bonne façon pour toi de garder le contrôle est de te reposer suffisamment. Concrètement, cela signifie que si tu dois te lever le lendemain matin, couche-toi un peu plus tôt. Si tu te lèves fraîche et dispose, ton caractère n'en sera que meilleur.

L'exercice physique peut aussi t'aider à te détendre. Une bonne marche rapide ou du jogging, si tu préfères, il n'y a rien de tel pour faire descendre la pression d'un ou deux crans!

• Moi, mon problème, ce n'est pas moi, ce sont les autres. On dirait que tout le monde se passe le mot pour me mettre hors de moi. Que veux-tu que j'y fasse?

Certaines filles à l'humeur changeante se plaignent que les autres soient bêtes avec elles. C'est certain que si tu engueules tous tes proches, ceux-ci n'auront pas le goût d'être bien gentils avec toi. Rappelle-toi que l'agressivité engendre l'agressivité. Sans vouloir faire semblant d'être *super-high*, tu peux avertir les autres que tu te sens maussade et que tu n'as peut-être pas le goût de parler beaucoup. Si tu dis cela doucement, sans avoir l'air de vouloir sauter à la figure du premier venu, sans doute que ceux qui t'entourent feront plus attention à toi. Tu n'es évidemment pas obligée d'ajouter que ce sont tes menstruations qui te font cet effet! Par contre, si tu veux en parler (à ta mère, à ta sœur, ou à ta meilleure amie, par exemple), cela te permettra sûrement de mieux te sentir et de passer plus facilement à travers ce *down* existentiel.

Une dernière suggestion à propos de cette tension: gâte-toi, fais quelque chose que tu aimes. Je ne veux pas te dire par là d'éviter tout ce qui te plaît moins, comme tes devoirs ou le ménage de ta chambre, mais simplement de t'offrir le luxe de petites gâteries qui te satisferont particulièrement; par exemple, l'écoute de ton disque préféré, la confection d'un bracelet d'amitié, l'élaboration d'un nouveau maquillage, etc. Tu verras, ces petites choses, sans te transformer radicalement, t'aideront à te sentir d'humeur plus «avenante», comme diraient les gens du Saguenay-Lac-St-Jean.

• Quelques jours avant mes menstruations, je deviens toute «boutonnée». Y a-t-il un moyen de faire disparaître ces boutons rapidement?

Ces boutons sont, eux aussi, causés par les modifications hormonales. Tu n'as pas à t'en faire. Dans quelques jours, si tu ne passes pas ton temps à essayer de les arracher, ils disparaîtront d'eux-mêmes. Tu n'as aucun soin spécial à leur apporter. Continue de te laver le visage comme tu le fais habituellement. La nature fera le reste.

• Moi, ce qui me préoccupe, ce sont mes cheveux gras et ma transpiration abondante. Qu'est-ce que je peux y faire?

Autrefois, on interdisait aux filles menstruées de se laver les cheveux ou de prendre un bain. C'était, supposément, dangereux pour leur santé. Heureusement, cette croyance est aujourd'hui disparue.

Tu peux facilement régler le problème des cheveux gras et de la transpiration abondante avec une hygiène adéquate. Voici trois petits trucs qui peuvent être utiles:

- au lieu de ton shampooing habituel, utilise un shampooing pour cheveux gras;
- choisis un désodorisant non parfumé reconnu pour son efficacité. Tu sais, le mélange des parfums désodorisants et celui de la transpiration peut quelquefois rendre l'odeur de celle-ci encore plus évidente;

- évite les tissus dans lesquels tu sais que tu transpires beaucoup. Ce ne sont pas les mêmes pour toutes les filles. Une réagira plus fortement à l'acrylique, une autre, à la laine, une autre encore, à la rayonne. En observant un peu ce qui se produit lorsque tu portes tel gilet en coton et (ou) telle chemise en polyester, tu pourras choisir ta garde-robe de manière à rester plus au sec.

• Durant mes menstruations, je me sens toujours gonflée. Comment faire pour éviter ça?

Avoir les seins et le ventre gonflés, ce n'est pas très confortable. Il n'y a malheureusement pas de moyens vraiment efficaces d'éviter ce gonflement. Par contre, ce que tu peux faire, c'est de porter des vêtements amples. Ainsi, tu te sentiras plus à l'aise dans tes mouvements et tu en viendras presque à oublier que tes seins et ton ventre sont un peu plus gros et plus sensibles que d'habitude.

• As-tu quelque chose à me suggérer concernant la constipation?

Être constipée, ça non plus ce n'est pas drôle! Durant les menstruations, on dirait que c'est pire. Aussi, je te suggère de surveiller particulièrement ton alimentation durant cette période. Mange des fruits, du pain de blé entier, des céréales de blé entier, enfin, tout ce qui contient des fibres et surtout bois beaucoup d'eau. Parce que, sans eau, les fibres se transforment en «ciment» dans l'estomac.

Évite le *junk food.* Même si un «big mac», une grosse frite, un coke et un chausson aux cerises font ton bonheur, je ne suis pas du tout certaine que ce menu fasse aussi le bonheur de tes intestins. Aussi, sans devenir «granola», je pense que cela vaut la peine de faire un peu attention à ce que tu manges durant cette période du mois.

• Et que faire avec les fameuses crampes?

On a longtemps pensé que les crampes menstruelles étaient d'origine psychologique. Aussi, les médecins ne prenaient pas vraiment au sérieux les filles qui se plaignaient de tels maux. Depuis, on a découvert que ces crampes étaient plutôt causées par un excès de prostaglandine (c'est une hormone).

Les filles qui ont des crampes ne les ressentent pas toutes avec la même intensité. Certaines décriront le malaise comme tout à fait supportable bien que créant un certain inconfort. Pour d'autres, ce sera bien différent. Leurs crampes seront d'une telle force qu'elles seront obligées de garder le lit durant un et même plusieurs jours. Si tel est ton cas, consulte ton médecin sans attendre. Il existe aujourd'hui des médicaments très efficaces contre ces crampes.

Si tu préfères ne pas prendre de pilules, étends-toi avec une bouillotte d'eau chaude sur le ventre. La chaleur calmera ta douleur. Tu peux aussi faire l'exercice suivant: position debout, pieds écartés de 30 cm. Étire tes bras sur les côtés, inspire et, en te penchant, touche ta cheville gauche avec ta main droite. Puis, étire ton bras gauche au-dessus de la tête, expire doucement et reste dans cette position 15 secondes. Relève-toi lentement et reprends l'exercice de l'autre côté.

• Moi, je n'ai pas vraiment de problèmes durant mes menstruations, mais j'ai des goûts bizarres. Est-ce normal?

Oui, c'est tout à fait normal et pas du tout alarmant. Ainsi, je connais une fille qui, trois jours avant

d'être menstruée, se tape automatiquement quatre tablettes de chocolat coup sur coup. Une autre ne peut voir arriver cette période du mois sans se gaver de crème glacée.

Ces fringales incontrôlables ne sont pas inquiétantes. Évidemment, si tu dévores quatre tablettes de chocolat par jour, tous les jours, c'est une autre histoire! Si tu ne t'en fais pas trop avec ça, si tu satisfais cette envie sans trop te poser de questions, si tu n'en fais pas une obsession style: «c'est effrayant, je vais engraisser de dix kilos et devenir grosse et laide», ton goût bizarre partira de lui-même.

• J'ai 15 ans et je ne suis pas encore menstruée. Suis-je anormale?

Non, tu n'as rien d'anormal. Bien que l'âge moyen des premières menstruations se situe vers 11-12 ans, il n'est pas rare que des filles soient menstruées beaucoup plus tard. Par contre, si dans un an tu n'as pas encore eu tes premières règles (autre nom donné aux menstruations), il serait sage d'aller consulter un médecin.

Le premier examen gynécologique

L'examen gynécologique! Examen redouté par certaines, simplement ennuyeux pour d'autres, mais examen nécessaire pour toutes. Bien qu'aucune femme ne perçoive cet examen comme une partie de plaisir, plus tu seras informée de ce qui va se passer, meilleures seront tes chances que tout se déroule bien.

• Peux-tu me dire en quoi consiste cet examen?

En gros, il s'agit de l'examen, par un médecin, de tes organes génitaux externes et internes. Comme on l'a déjà vu, ton pubis, ton clitoris, tes grandes et petites lèvres, l'entrée du vagin constituent tes organes génitaux externes. On nomme cet ensemble «vulve». Tes organes génitaux internes comprennent ton vagin, ton utérus et ton col de l'utérus, tes trompes de Fallope et tes ovaires (Voir figures 1 et 2, page 13).

• Et à quoi sert-il?

Comme tout examen médical, il sert d'abord et avant tout à s'assurer de la bonne santé de cette partie de ton corps. À l'adolescence, il peut aussi te sécuriser sur la normalité de ton développement. L'examen gynécologique est aussi une bonne occasion d'effectuer des dépistages de maladies transmissibles sexuellement (MTS) ainsi que de certaines infections vaginales qui n'ont souvent rien à voir avec les MTS (ex.: infections à champignons, gardnerella, etc.). Il permet enfin de dépister de façon très précoce les cancers du col de l'utérus et même le simple risque de cancer futur. Tu sais, cette fonction de l'examen gynécologique est extrêmement importante car un dépistage précoce accroît les chances d'un traitement efficace et peut même, dans plusieurs cas, éviter l'apparition du cancer du col de l'utérus.

• Comment ça se passe?

Cet examen doit normalement se dérouler en deux parties. Durant la première, le médecin t'interroge sur tes antécédents familiaux et personnels. Par exemple, il te demande s'il y a dans ta famille des cas de cancer du sein ou du col de l'utérus, depuis quand tu as tes règles et si elles sont régulières. Combien de temps durent-elles? Te font-elles mal? As-tu des relations sexuelles, avec un ou plusieurs partenaires? Emploies-tu un moyen de contraception? ...etc.

Ces questions n'ont pas pour but de te juger mais simplement de permettre au médecin de mieux te connaître. Tu dois y répondre le plus honnêtement possible, même si cela peut t'apparaître quelquefois très gênant. De toutes façons, quoi que tu lui dises, n'oublie pas que le médecin est lié par le secret professionnel et que de plus, au Canada, la confidentialité des consultations médicales est garantie par la loi à partir de l'âge de quatorze ans. Clairement, ce que cela veut dire, c'est que ton médecin n'a pas le droit d'appeler tes parents pour leur dire que tu lui as demandé la pilule, que tu as des relations sexuelles depuis deux ans ou que tu es enceinte de trois mois.

La deuxième partie est l'examen proprement dit. Le médecin te demandera alors de te déshabiller. Puis, il te fera étendre sur la table d'examen. On dit «table», mais cela ressemble plus à une civière ou à un petit lit étroit. À une des extrémités de cette table, on retrouve les «étriers» dans lesquels tu poseras tes pieds. Ainsi installée, tu auras les fesses près du bord de la table, les cuisses écartées et les jambes légèrement surélevées. Peu de femmes aiment cette position où elles ne voient ni le médecin, ni ce qu'il fait. Aussi, certains d'entre eux, pour permettre à la femme de se sentir plus à l'aise et de participer plus activement à l'examen gynécologique, relèvent le dossier de la table. La patiente est ainsi assise au lieu d'être couchée et peut voir ce qui se passe.

Le médecin examinera alors tes organes génitaux externes, pour voir s'il n'y a rien de particulier (lésions, bobos, ulcères, pertes vaginales malodorantes ou d'une drôle de couleur). Puis, il écartera tes petites lèvres et insérera un spéculum dans ton vagin. Le spéculum est un instrument qui permet au médecin de bien voir ton vagin. Quand on n'en a jamais vu, cela peut faire un peu peur. Il y en a de différentes grosseurs et il peut être fait soit de métal, soit de matière plastique. Si tu te sens mal à l'aise face à cet objet, dis-le à ton médecin et demande-lui de te montrer comment ça fonctionne. S'il est le moindrement attentif à tes besoins, il n'y verra aucune objection et le fera de bonne grâce.

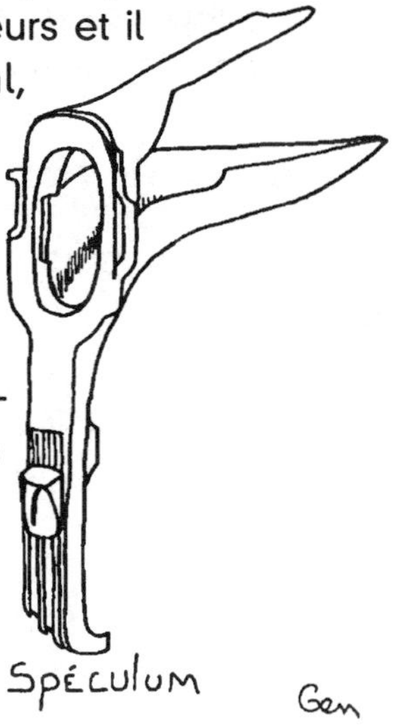

Le spéculum doit être entré fermé dans le

Spéculum

Gen

vagin. Une fois bien en place, le médecin l'ouvre, ce qui écartera les parois de ton vagin. Ainsi, il aura une belle vue sur celui-ci ainsi que sur le col de ton utérus. Il se peut qu'à ce moment-là, il effectue certains prélèvements de dépistage; ceux-ci se font à l'aide de longs «Q-Tips» et (ou) de languettes de bois. Ce n'est pas nécessairement très agréable mais ce n'est pas douloureux non plus.

Puis, le médecin enlèvera le spéculum et procédera à l'examen de ton utérus, de tes trompes de Fallope et de tes ovaires. Pour ce faire, il introduira deux doigts — gantés et enduits d'une gelée lubrifiante — dans ton vagin et il posera son autre main sur ton abdomen. Tout en effectuant différentes pressions, il te questionnera sur tes sensations. Est-ce que ça te fait mal? Tel endroit est-il plus sensible qu'un autre? Sens-tu la pression de son doigt? Etc.

Enfin, il passe à l'examen des seins pour bien s'assurer qu'il n'y a ni bosse ni masse suspecte.

• Combien de temps ça dure?

L'examen gynécologique proprement dit ne dure généralement pas plus d'une dizaine de minutes. Avec les questions du début et les explications que ton médecin te donne normalement, cela peut prendre de vingt à trente minutes.

• Dois-je avoir eu des relations sexuelles pour passer mon premier examen gynécologique?

Non. Même si tu n'as jamais eu de relations sexuelles avec pénétration et que ton hymen[1] est intact, tu peux passer un examen gynécologique. L'existence de petits spéculums facilite, dans la plupart des cas, son insertion malgré la barrière que représente l'hymen. Toutefois, si le petit spéculum est encore trop gros pour toi, le médecin pourra quand même procéder aux autres parties de l'examen.

• Pour quelles raisons devrais-je passer un examen gynécologique?

- Si tu te réveilles un matin avec des pertes vaginales nauséabondes ou d'une drôle de couleur, il est grand temps que tu subisses cet examen, de même que des tests de dépistage de MTS et des autres infections qui peuvent se trouver dans ton vagin.
- Si tu as l'impression que ton développement n'est pas normal.
- Si tes menstruations sont très douloureuses et (ou) très abondantes.
- Si tu songes à utiliser un moyen de contraception comme la «pilule». Si tu n'as jamais eu de relation sexuelle, il est possible que ton médecin te prescrive des «anovulants» pour une période d'essai de trois mois sans te faire su-

1. Hymen: membrane recouvrant une partie de l'entrée du vagin.

bir d'examen gynécologique. Cependant, l'un va en général avec l'autre.

• À quel âge devrais-je avoir mon premier examen gynécologique?

Si tu as quatorze ans, que tu n'as jamais eu de relations sexuelles, que tu ne penses pas en avoir dans l'immédiat, que tu n'as pas de problème avec tes menstruations et que tes sécrétions vaginales te semblent normales, inutile de te précipiter chez ton médecin. Le premier examen gynécologique peut attendre encore.

Toutefois, si tu as dix-huit ans et que tu n'en as jamais passé, il serait sans doute temps d'y songer sérieusement. Ceci même si tu n'as aucune vie sexuelle active. Chez les adolescentes et les jeunes femmes, l'examen gynécologique sert souvent à dépister des anomalies congénitales. Ce qu'on entend par là, ce serait, par exemple, l'absence de l'utérus, ou encore des organes génitaux dont le développement ne serait pas normal. Lorsqu'on s'en aperçoit assez tôt, on peut remédier à certains de ces problèmes.

• Qui devrais-je aller consulter?

Quand on parle d'examen gynécologique, évidemment on pense à un gynécologue. Mais ce n'est pas nécessairement lui que tu dois aller voir. Ce n'est pas qu'il ne soit pas compétent pour effectuer ce type d'examen, au contraire! Cependant, comme il s'agit d'un médecin spécialisé, la grande majorité des gynécologues ont des listes d'attente longues comme le bras et, très souvent, bien peu de minutes à consacrer à chacune de leurs patientes. Ce n'est pas qu'ils ne voudraient pas prendre le temps de t'expliquer comment ça va se dérouler, mais ils sont souvent si pressés qu'ils doivent aller à l'essentiel.

L'idéal, pour ton premier examen gynécologique, c'est un médecin, homme ou femme, que tu connais et en qui tu as confiance. J'insiste sur la confiance, parce que c'est normal de se sentir mal à l'aise et un peu tendue lors de son premier examen gynécologique. Aucune femme ne va à cet

examen en criant «youppi, c'est donc le fun cet examen-là!» On s'habitue, on le prend comme une nécessité non douloureuse mais pas particulièrement agréable. C'est pourquoi il est aussi bien de partir du bon pied.

Si tu ne connais pas de médecin, tu peux demander des suggestions à un adulte de ta connaissance: ta mère, une sœur ou une amie plus âgée, l'infirmière de l'école, un professeur, etc. Si tu préfères, tu peux aussi t'adresser au CLSC (Centre local de services communautaires) de ta région. D'ailleurs, plusieurs d'entre eux ont un Département Jeunesse où ceux qui y travaillent, qu'ils soient psychologues, travailleurs sociaux ou médecins, sont spécialement formés dans l'intervention auprès des jeunes. Informe-toi et n'aie pas peur de poser des questions. C'est encore la meilleure façon de venir à bout de ses inquiétudes.

• À quelle fréquence dois-je subir cet examen?

Les médecins recommandent de passer un examen gynécologique de routine chaque année.

Cependant, si comme on l'a vu précédemment, tu as des raisons de suspecter la présence d'une MTS ou de toute autre infection, cela vaut la peine d'aller consulter, ne serait-ce que pour te faire rassurer. Il vaut mieux se faire dire qu'on n'a rien que de se promener avec une maladie non traitée et possiblement contagieuse!

Quand on ne plaît pas aux gars

Plaire ou ne pas plaire aux gars! Telle semble être la question. En tous cas, il y a à peu près trois filles sur quatre qui ne se trouvent pas assez bien pour attirer l'attention des gars. Comment peut-on expliquer ce phénomène? On regarde ça d'un peu plus près.

• Physiquement, je me trouve plutôt moche, comment veux-tu que je plaise aux gars?

Lorsqu'on a l'impression de ne pas plaire aux garçons, c'est évident que la première raison mise en cause est notre aspect physique. Si on n'a pas de *chum,* ça doit être parce qu'on fait dur! On a des boutons, on a des cheveux trop raides ou trop bouclés, on a trop ou pas assez de seins, on n'est pas de la bonne grandeur, on a des broches dans la bouche, on n'est pas bien habillée, on n'a pas le bon style, on ne sait pas se maquiller, etc. La liste des défauts physiques qu'on se trouve peut s'allonger à l'infini. Aucune partie de notre corps ne trouve grâce à nos yeux. Si les autres ont du succès et que nous n'en avons pas, c'est simplement qu'elles sont plus belles et mieux habillées que nous!

Malheureusement, ou heureusement, ce raisonnement n'est pas très solide. Être jolie, constitue un avantage, c'est certain. Pourtant, cela n'explique pas tout, loin de là! Ainsi, comment pourrais-tu expliquer que certaines filles très ordinaires (boutons et broches incluses) n'aient aucune difficulté à se trouver des *chums* alors que d'autres très belles se retrouvent toujours seules aux *partys* et aux danses du vendredi soir? Il doit donc y avoir une autre raison!

• Peut-être que si j'adoptais un autre style, j'aurais plus de succès, qu'en penses-tu?

Le style qu'on adopte peut sûrement avoir une certaine influence sur notre succès auprès des gars. Ce que je veux dire, ce n'est pas qu'une fille «prep» a plus de chances qu'une fille «hippie» d'être populaire; cela n'a rien à voir. Non, je pense plutôt que ce qui importe, c'est que le style qu'on adopte nous convienne. Si, par exemple, tu décides d'être «punk» juste parce que tes amies ont ce style ou parce que le gars qui t'intéresse l'est, il n'est pas certain que tu fasses une «punk» très convaincante. Ton style, pour te convenir, doit refléter

ce que tu es. Si tu te sens l'âme et les valeurs d'une «prep», il est à peu près sûr que le style «punk» ne t'ira pas du tout.

Il n'y a pas, en fait, de «bon style» pour séduire les gars. Et si tu prends la peine de t'y arrêter un peu, tu remarqueras que les filles populaires ont souvent un style bien à elle. Cela n'explique pas tout, c'est certain, mais il s'agit d'un élément qui peut avoir son importance.

• Est-ce vrai que les gars n'aiment pas les filles trop intelligentes.

Certaines filles ont l'impression de ne pas être assez intelligentes pour intéresser les gars. D'autres, au contraire, soutiennent que si elles ne «pognent» pas, c'est que les gars ne sont attirés que par les filles niaiseuses: *«beautiful but dum»* comme dirait ma mère!

Tu sais, l'intelligence, c'est une drôle de chose. Personne, jusqu'à maintenant, n'a réussi à définir exactement ce que cela pouvait bien être. La «bol» en maths qui n'arrive pas à aligner deux mots sans faute d'orthographe est-elle plus ou moins intelligente que le génie de la composition qui ne veut rien savoir de la trigonométrie? Ou que valent ces deux «intellos» par rapport à celle qui est nulle en maths et en français mais qui peut, en deux coups de ciseaux et quelques coutures, se faire une très belle petite robe d'été?

Il y a plusieurs sortes d'intelligence. Nous avons toutes nos forces et nos faiblesses. Et il n'y a pas un gars qui va souhaiter sortir avec une «noune» comme il n'y a pas une fille qui veut d'un «épais». Mais lorsqu'on est séduit par quelqu'un, c'est automatique, on voit tout de suite ce que cette personne a d'intelligent. Cela fait partie de sa séduction. Bien sûr, si au départ on a la conviction qu'on est trop ou pas assez intelligente, c'est ce message qu'on va passer.

• On dirait que les gars me voient seulement comme une confidente. Comment faire pour changer ça?

Dans toutes les «gangs», il y a toujours au moins une fille qui joue le rôle de la confidente. Quand on est malheureux, que ça ne va pas, c'est elle qu'on va voir. Elle sait écouter, donner des conseils, elle est pleine de compréhension. En général, les gars l'aiment beaucoup. Le problème, c'est qu'il n'y en a pas un qui l'aime tout court. Ce qui se produit, c'est que les gars ne voient pas la confidente comme ils voient les autres filles. Pour eux, c'est un peu comme une mère ou une grande sœur à qui on peut tout dire, sans risquer de se faire juger et (ou) punir. Tu vas me dire que les gars n'ont qu'à changer leur manière de voir ces filles. Mais voilà, celles-ci ont aussi leur responsabilité dans cette situation. Elles contribuent, par leur manière d'être, à cette situation. Tu ne vois pas comment tu fais ça? Je t'explique tout de suite.

Quand tu reçois les confidences des autres, tu es flattée. C'est normal. Tu as l'impression, à juste titre, d'avoir leur confiance. Si les autres ne t'estimaient et ne te trouvaient pas mature, pourquoi viendraient-ils se confier à toi? C'est facile de prendre goût à ce rôle. Et sans presque t'en rendre compte, chaque fois que quelqu'un t'approche, tu prends l'attitude de celle qui va avoir à donner un conseil. Si un gars s'approche de toi, tout de suite, tu revêts ton costume de confidente: accueillante, chaleureuse, compréhensive, mais un peu à l'extérieur de ce qui se passe pour pouvoir, bien sûr, donner une opinion éclairée! Tu ne penses même plus qu'un gars peut te trouver jolie et avoir le goût de mieux te connaître.

Sortir de ce rôle n'est pas toujours évident. Avant de vouloir changer les autres, il faut d'abord te changer toi. Cela ne signifie pas que tu doives fermer ta porte aux autres et leur dire: «À partir d'aujourd'hui, je n'écoute plus personne.» Je ne crois pas que ce soit la solution. Cependant, en étant consciente de ce qui se produit, tu peux mieux te contrôler. Tu aimes recevoir des confidences? Rien ne t'interdit de continuer, mais essaie d'y mettre des limites.

Comment? Si un ou une de tes amies veut te parler seule à seule, n'accepte pas immédiatement. Commence par voir si tu as du temps, de combien de temps tu disposes et choisis le moment qui te convient. Cesse d'être entièrement à la disposition des autres. Après tout, tu n'es pas un dépanneur ouvert 24 heures! Lorsque quelqu'un te confie ses secrets, n'essaie pas de trouver une solution à tout prix. Tu n'as pas à avoir réponse à tout. N'aie surtout pas peur de donner ton opinion, quelle qu'elle soit. Il se peut que tu ne sois pas d'accord avec ce que ton ami(e) te dit. Il faut qu'il ou elle le sache. Tu n'es pas qu'une oreille qui peut tout entendre. Souviens-toi, si tu te sens fatiguée, stressée, si tu n'en as pas le goût, rien ne t'oblige à écouter les confidences de qui que ce soit. Enfin, si toi-même tu te sens déprimée et si tu ressens le besoin de parler de tes soucis, fais-le!

N'hésite pas à demander l'écoute d'un ou d'une de tes amis(ies). Cela les surprendra peut-être au début, mais ils et elles cesseront de te percevoir uniquement comme une oreille. Ils et elles s'apercevront qu'il y a aussi une fille comme les autres derrière la confidente. Et il y a sûrement un gars qui y sera plus sensible que les autres.

• Mes amies me disent que je ne suis pas assez féminine et que c'est pour ça que les gars ne me regardent pas. Qu'en penses-tu?

Si tu préfères le sport au maquillage et les «nikes» aux escarpins de soirée, c'est certain que tu n'intéresseras pas tous les gars. Toutefois, la fille super-féminine et bien maquillée ne plaît pas nécessairement à toute la gent masculine. Une partie des gars la préfère, mais une autre partie a une attirance marquée vers les filles plus «natures».

Dans ce cas-là, il s'agit de savoir ce que tu désires d'un gars et d'aller le chercher où il est susceptible de se trouver. Tu sais, si tu fais partie de ce type de filles, probablement as-tu envie de sortir avec un gars qui a les mêmes goûts que toi. Tu ne trouveras pas ce «spécimen» dans les discos ni dans les arcades. Par contre, le centre d'activités physiques que tu fréquentes est sans doute un bon endroit pour dénicher ce que tu recherches. Mais pour cela, il faut que tu ouvres un peu les yeux... ce que tu ne fais peut-être pas toujours.

• Moi, mon problème c'est que je suis trop ordinaire. Comment faire pour qu'un gars s'intéresse à moi?

Dans cet état d'esprit, il n'y a rien d'étonnant à ce que tu n'aies pas beaucoup de succès auprès des gars. À force de te déprécier, tu envoies un message négatif aux gars. Tu leur dis que tu ne vaux pas la peine qu'ils s'arrêtent à toi!

L'adolescence, c'est pas vraiment facile, je te l'accorde. On se trouve toutes sortes de défauts, on n'a pas vraiment confiance en soi, on connaît mal ses capacités. Mais si tu prends le temps d'examiner les filles qui ont du charme et du succès auprès des gars, tu constateras sans doute qu'elles ont toutes un point commun: elles semblent être bien dans leur peau et cela paraît. Être «bien dans sa peau» cela ne veut pas dire de toujours faire de grosses *jokes* ou être constamment en *party*. Cela signifie qu'on semble être en accord avec soi-même. C'est difficile de se sentir comme ça quand on ne voit que ses défauts.

Certaines pensent que, pour s'accepter, il faut n'avoir que des qualités. C'est une impression erronée. Tout le monde a des qualités et des défauts, des forces et des faiblesses. Personne n'est parfait, et si quelqu'un l'était vraiment, ce serait très difficile de vivre avec parce qu'il ou elle ne pourrait pas être vraiment humain. Si tu attends d'être parfaite pour t'accepter, tu vas attendre longtemps, très longtemps!

Chaque être humain peut avoir du charme, du style, un genre qui frappe et qui attire. Il s'agit pour toi de mettre tes forces en valeur et de trouver ton style, qui n'est d'ailleurs pas nécessairement celui de la fille la plus populaire de l'école. Si tu cherches à imiter le style d'une autre, tu feras sans doute fausse route. Par contre, si tu pars de toi, de ce que tu es, de ce qui te plaît, nul doute que tu trouveras.

Tu as des qualités, des forces, fais-en la liste et mets-les en valeur. Tes faiblesses, tes défauts, tu les connais sans doute déjà. Je te le rappelle, tu n'as pas besoin d'être parfaite pour être aimée. Mais il est essentiel que tu commences d'abord par t'aimer!

Deuxième partie: L'AMOUR

Les gars

Les gars! S'ils n'existaient pas, il faudrait sûrement les inventer. D'un côté, ils nous attirent et de l'autre, ils nous désarçonnent complètement. Allons voir ensemble comment fonctionnent ces êtres étranges.

• Pourquoi sont-ils si différents de nous?

Pour répondre à cette question, permets-moi de faire un retour en arrière. Il y a à peine une trentaine d'années, on faisait une grande différence entre les gars et les filles. Dès le plus jeune âge, on apprenait à la fille que sa place serait à la maison, et au garçon qu'il deviendrait le chef du foyer. Aussi, lorsqu'il y avait un nombre suffisant d'enfants, les gars et les filles fréquentaient des écoles différentes. Alors qu'on encourageait les garçons à poursuivre des études, on considérait ce type d'ambition comme un luxe superflu pour les filles.

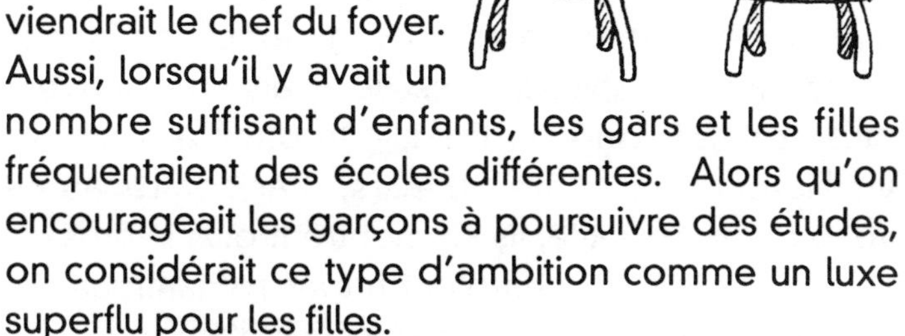

On réservait souvent, et de façon très arbitraire, telle activité à un sexe ou à l'autre. Par exemple, la vaisselle, le ménage, la cuisine, l'éducation des enfants étaient considérés comme des tâches essentiellement féminines... comme si nous étions nées avec un linge à vaisselle dans les mains! Le travail à l'extérieur, la conduite de l'automobile, la tonte de la pelouse, les travaux de construction appartenaient à l'homme. On tenait peu compte des goûts et des aptitudes individuels. On tenait pour acquis que chaque sexe avait ses habiletés propres. Un homme et une femme, c'était différent, point à la ligne!

Dans les années soixante-dix, on a commencé à mettre l'accent sur nos ressemblances. Gars et filles fréquenteraient désormais les mêmes écoles. On a aussi modifié les manuels scolaires et on a fait disparaître tout ce qui pouvait sembler sexiste. Puis, à partir de ce moment, on a encouragé les filles à se lancer dans des carrières qui, jusque-là, étaient strictement réservées aux gars.

Donc, bien des choses ont changé. Mais malgré cela, on est forcé de constater qu'il y a quand même des différences. Un gars et une fille, surtout à partir de l'âge de la puberté, ne fonctionnent pas de la même manière. Ainsi, les gars sont souvent plus agressifs que les filles. On dirait aussi qu'ils vieillissent moins vite qu'elles. Par contre, au niveau de la sexualité, ils se montrent plus intéressés et plus directs. Ils semblent moins romantiques et préfèrent les films d'action aux films d'amour.

Qu'est-ce qui peut expliquer cela? De notre côté, le développement psycho-sexuel (c'est comme ça qu'on appelle le processus qui nous mène de l'enfance à l'âge adulte) dépend en grande partie de l'apprentissage. Nous devons apprendre à connaître notre corps, nos points sensibles. Chez le garçon, ce développement se produit autrement. Laisse-moi t'expliquer.

La puberté, chez les gars, arrive vers l'âge de 13-14 ans. À ce moment-là, le gars commence à produire des androgènes. Les androgènes sont des hormones responsables du développement physique masculin. Sa voix devient plus grave, ses organes génitaux se transforment et prennent leur aspect définitif; sa pilosité augmente, quelques poils, de ce qui deviendra plus tard une barbe, apparaissent. Ce n'est pas encore un homme qu'on a devant soi, mais ce n'est plus un enfant.

Puis ce sont ces hormones qui donnent le signal de départ de la production des spermatozoïdes. Le gars est désormais mature sexuellement, c'est-à-dire qu'il peut procréer; ce qui ne veut absolument pas dire que psychologiquement il soit prêt à le faire. C'est dans cette période qu'arrive la première éjaculation. Si elle se produit à l'état d'éveil, elle sera automatiquement accompagnée d'un orgasme. Par contre, si elle arrive durant le sommeil, on parlera de «*wet dream*» ou de «pollution nocturne». Souvent le gars n'en aura aucun souvenir, si ce n'est le fait de se réveiller un peu «gommé» le lendemain matin.

À peu près tous les gars de cet âge ont des activités de masburbation qui sont, sinon encouragées, du moins tolérées. Bien que certains puissent se sentir un peu coupables, dans la grande majorité des cas la masturbation est plutôt associée au plaisir et à l'orgasme.

Comme tu peux le constater, ce n'est pas tout à fait la même chose qui se produit chez la fille.

• On dirait qu'ils ne pensent qu'au sexe. Est-ce que c'est vrai?

Dans un certain sens, oui c'est vrai. Car les hormones dont je viens de te parler ont aussi un grand rôle à jouer dans la vie sexuelle du garçon.

Elles sont responsables de son niveau de désir sexuel. C'est un peu comme si elles lui donnaient son élan sexuel. Un gars ne peut nier son intérêt pour la sexualité. Il ne peut dire: «Moi, les affaires de sexe, ça ne me dit rien.» Son pénis, qui grossit et durcit, même à des moments où il ne s'y attend pas, lui indique concrètement qu'il est un être sexuel. Il peut se sentir mal à l'aise avec les filles, ne pas savoir comment agir avec elles, mais il ne peut nier l'attrait qu'elles suscitent chez lui. Et cela ne signifie nullement qu'il a le droit de se laisser aller à toutes ses pulsions.

- **Comment faire pour savoir qu'un gars m'aime vraiment?**

Il n'existe malheureusement aucun test te permettant de t'assurer à 100 % qu'un gars est vraiment en amour avec toi. Par contre, certains indices peuvent t'indiquer quelle est la nature de ses sentiments.

C'est mauvais signe si:

- il veut coucher avec toi dès les premières rencontres. Au contraire, quand on tient à quelqu'un, on est capable de l'attendre.

- mis à part le sexe, il n'a jamais de temps à te consacrer. Quand on aime quelqu'un, on désire être en sa compagnie; pas tout le temps... mais assez souvent et pas seulement dans un lit.
- il ne veut rien savoir du condom. Ce gars est prêt à avoir des relations sexuelles non protégées. Il a donc un comportement à risque et pour lui et pour toi.
- il ne te demande pas si tu utilises un moyen de contraception. Un gars le moindrement mature s'intéressera à cette question.
- il a la réputation de coucher avec toutes les filles qu'il rencontre. Cette réputation est peut-être surfaite mais méfie-toi tout de même!
- il te demande de coucher avec lui comme preuve de ton amour. C'est un truc vieux comme le monde. Un gars qui aime vraiment une fille sait respecter ses hésitations.

C'est bon signe si:

- votre degré d'intimité s'accentue graduellement. En d'autres termes, vous prenez le temps de vous connaître.
- il cherche à passer du temps avec toi sans ses amis. Cela indique qu'il est bien avec toi et que ce qui l'intéresse, ce n'est pas seulement ton corps.
- il est préoccupé par ton humeur. Si tu as l'air fatiguée, il s'inquiète; si tu

sembles heureuse il est heureux avec toi. Ce sont là des signes de véritable attachement.

- quand tu as besoin de lui, il est là. S'il ne voulait que coucher avec toi, il ne s'occuperait pas de tes besoins.
- il prend les devants par rapport au condom et à toutes ces histoires de contraception. C'est donc dire qu'il a une attitude responsable et mature.

• Comment lui faire comprendre que j'aimerais le voir seul, pas toujours avec sa gang de chums?

La façon la plus simple est généralement la meilleure. Évite toutefois de parler contre ses *chums*. Vas-y plus positivement. Dis-lui que tu te sens tellement bien avec lui que tu apprécierais de le voir seul. Propose-lui des activités à faire à deux. Si cela ne change rien à la situation, tu devras alors te résigner à voir la réalité en face. Ce gars ne t'aime peut-être pas comme tu le désirerais ou encore il t'aime mais il n'a pas atteint la maturité nécessaire pour entretenir une véritable relation amoureuse.

• À chaque fois que mon chum m'embrasse, il a une érection. Est-il normal? Qu'est-ce que je dois faire avec ça?

Oui, il est tout à fait normal. L'érection est le premier signe d'excitation sexuelle chez l'homme. À l'adolescence, ça ne prend pas une très forte stimulation pour qu'un gars soit excité sexuellement.

Ce que tu dois faire avec ça? Pas grand-chose. Tu vois, ce n'est pas parce qu'un gars a une érection qu'on doive nécessairement aller plus loin. On peut, si ça nous tente, et si on se protège, bien sûr, mais tu n'es pas obligée... Et ne t'en fais pas, il n'attrapera pas de grippe à cause de ça!

• Il me dit qu'avec lui il n'y a pas de danger que je tombe enceinte, qu'il va se retirer à temps, est-ce que je peux le croire?

Absolument pas! Dans un premier temps, il n'est pas du tout certain qu'il soit capable de faire ce qu'il dit. À cet âge, un gars a rarement le contrôle sur le moment de son éjaculation. Puis, même en admettant qu'il possède ce contrôle, il faut que tu saches qu'avant l'éjaculation, il y a quelques gouttes de liquide qui s'écoulent de son pénis. Ce liquide sert à nettoyer et lubrifier son urètre. Et il est possible qu'il contienne un peu de sperme. Comme dans une goutte de sperme il y a des milliers de spermatozoïdes, il y a là un risque que tu ne peux courir.

La drague

Draguer, *cruiser*, partir à la chasse... bref, essayer de se trouver un gars. Pas toujours facile à imaginer, encore moins évident à faire. Pourtant, avec un peu de courage et de méthode, on peut y arriver. Et on n'a pas besoin d'être une femme fatale pour ça.

• Est-ce que je peux faire les premiers pas?

L'époque où la fille devait obligatoirement attendre qu'on la choisisse est révolue. Aujourd'hui, nous aussi nous avons le droit d'aller vers qui nous plaît. Le petit problème dans tout ça c'est qu'entre la théorie et la pratique, il peut y avoir un océan à franchir.

En effet, comment on fait ça les premiers pas? On n'a ni mode d'emploi, ni modèle à suivre. Les gars, eux, regardent faire leurs aînés et ils essaient de suivre leurs traces. Quant à nous, personne ne semble pouvoir nous montrer comment nous y prendre.

De plus, socialement, on a l'impression que c'est plus facile pour les gars de faire les premiers pas. Si un gars demande à une fille de sortir avec lui, même si elle n'est pas intéressée, elle ne le regardera pas comme une «bibitte» bizarre. Tandis que si c'est la fille qui fait cette démarche, elle ne sait pas à quoi s'attendre du gars. Rira-t-il d'elle? Ou ira-t-il la traiter de nymphomane dans toute l'école? Ce sont des risques que peu de filles sont prêtes à courir.

Pourtant, à moins d'accepter d'être limitées aux seuls gars qui nous remarquent, et qui ne sont pas nécessairement toujours ceux qui nous plaisent, on doit apprendre à faire parfois les premiers pas. Ce n'est pas facile, je te l'accorde, mais cela se fait.

• Il y a un gars qui m'attire, mais j'ai peur qu'il ne soit pas intéressé. Comment savoir si j'ai des chances?

Avant de tenter quoi que ce soit, il est important que tu scrutes d'un peu plus près son comportement. Lorsque vous vous rencontrez, semble-t-il heureux de te voir? Comment se comporte-t-il à ton égard? Fait-il un détour pour t'éviter chaque fois qu'il t'aperçoit? L'as-tu déjà surpris à te regarder fixement? Ou, au contraire, détourne-t-il les yeux aussitôt que vos regards se croisent? Ces petits détails pourront t'indiquer si tu as ou non des chances.

Si certains de ses amis sont aussi les tiens, informe-toi discrètement à son sujet. Sort-il déjà avec une autre fille? Est-il du genre timide? Quels endroits fréquente-t-il? A-t-il la réputation d'être correct avec les filles? Est-ce un sportif ou un intellectuel? Encore là, si tu en sais un peu plus sur lui, tu auras une meilleure idée de ce que tu dois faire: soit foncer, soit renoncer.

• Oui, mais je me sens tellement gênée jamais je ne serai capable de faire les premiers pas. Comment puis-je y arriver?

Faire les premiers pas c'est aller chercher ce qu'on désire sans attendre qu'on nous l'offre sur un plateau d'argent. Pour y arriver, il faut une certaine confiance en soi. Si tu es convaincue d'être plutôt moche et pas très intéressante, jamais tu ne seras capable d'aller vers le gars qui te plaît. Comment pourrait-il accepter de perdre son temps avec quelqu'un comme toi? Et si, malgré tout, tu te risques, tu lui passeras inconsciemment le message que tu es une fille qui n'en vaut pas la peine.

Pour avoir confiance en toi, il faut d'abord que tu cesses d'exiger de toi la perfection. De toute façon, personne n'est parfait: ni toi, ni moi, ni même le gars sur qui tu te pâmes. Ce qui différencie souvent les gens qui ont confiance en eux des autres, c'est qu'ils sont capables de mettre l'accent sur leurs forces plutôt que sur leurs faiblesses. Ils savent qu'ils en ont, mais ils ne passent pas leur temps à se torturer avec ces dernières.

Voici un petit truc qui te permettra d'être plus consciente de tes points forts. Pour une minute, regarde-toi comme si tu étais ta meilleure amie. Si tu avais à dresser le portrait de cette amie, sans doute insisterais-tu sur ses qualités (gentille, drôle, fidèle, beaux cheveux, beaux yeux, etc.). Tu passerais probablement ses petits défauts sous silence. Fais la même chose avec toi. Comment ta meilleure amie te décrirait-elle? Elle n'est sûrement pas copine avec toi parce que tu es plate et insignifiante! Si tu as de la difficulté à faire ce petit exercice mentalement, prends un papier et un crayon; cela t'aidera. Et si tu n'y arrives toujours pas, demande à ton amie de te dire ce qu'elle pense de toi. Tu seras sans doute surprise de voir toutes les belles choses qu'elle a découvertes chez toi.

• C'est bien beau la confiance mais, concrètement, comment je m'y prends pour faire les premiers pas?

Quelle que soit l'idée que tu as en tête, il est important qu'elle soit simple. Si ton plan exige plus de cinq lignes pour que tu l'expliques, laisse-le tomber. Il est trop compliqué. Cela ferait peut-être un bon scénario de film, avec plein de rebondissements et de chassés-croisés amoureux, mais dans la réalité il ne fonctionnera pas.

Être simple, cela ne veut pas dire être simplette! Pense un peu à ton affaire avant d'agir. Ne te jette pas sur un type à la première occasion venue. N'oublie jamais qu'un gars de 14-15 ans peut se montrer bien différent selon qu'il est seul ou avec d'autres. Évite donc surtout les moments où il est avec sa gang de *chums*. Tu pourrais essuyer un refus ou te faire ridiculiser simplement parce que, devant ses amis, il veut avoir l'air du gars super-indépendant, alors qu'en réalité il meurt d'envie de sortir avec toi.

De plus, il serait préférable que toi-même tu sois seule. C'est drôle à dire, mais tu te sentiras sans doute plus à l'aise de faire cette démarche en solitaire plutôt qu'accompagnée de tes trois meilleures amies. Tu n'auras pas l'impression d'être surveillée et tu auras une plus grande marge de manœuvre.

• Maintenant, qu'est-ce que je lui dis?

Dans un premier temps, il est inutile et superflu que tu lui fasses une déclaration d'amour en règle. Il te plaît, c'est certain. Il n'est pas obligé de savoir tout de suite que tu rêves à lui jour et nuit. Chose sûre et certaine, tu as le goût de mieux le connaître. Et c'est ce qu'il faut que tu lui passes comme message. Aie quelque chose de concret à lui proposer. Invite-le, par exemple, à t'accompagner à la prochaine danse de l'école ou au party organisé par une fille de ta classe. Garde bien en tête que tu ne lui quémandes rien. Tu lui offres la chance de passer une soirée agréable en compagnie d'une personne intéressante, c'est-à-dire toi-même.

• Est-ce que je ne pourrais pas m'y prendre autrement, par exemple en lui écrivant un petit billet?

La méthode du petit billet doux, genre «je t'aime, veux-tu sortir avec moi?», n'est pas recommandée.

Si le procédé est simple, par contre, il n'est pas très efficace. Au contraire! Certains gars ont la fâcheuse tendance de montrer ces billets à leurs amis. Aussi, si tu ne crains vraiment pas de faire rire de toi, tu peux toujours l'essayer. Sinon, évite-le.

• Comment être certaine qu'il me dise oui?

Il n'existe pas de méthode miracle pour nous assurer d'obtenir un «oui». Il faut donc accepter d'avance la possibilité de recevoir un refus.

Personne n'aime se faire dire non, c'est évident. Mais de là à se sentir dévalorisée à cause de cela, il y a une marge. Ce n'est pas parce qu'un gars refuse de sortir avec toi que tu deviens moins intéressante, moins jolie. L'attirance que l'on peut ressentir pour une personne n'a souvent rien à voir avec les qualités objectives de cette personne. Toutes ne sont pas attirées par le même genre de gars. Tel type peut rendre une de nos copines presque «gaga» alors que ce même gars nous laisse complètement indifférente.

La même chose se produit pour eux. Tu peux être la fille la plus extraordinaire de ton école, mais cela ne veut pas dire que tous les gars vont avoir le goût de sortir avec toi. Si, par hasard, tu tombes justement sur celui qui ne veut rien savoir de toi, dis-toi bien que cela ne t'enlève rien. C'est décevant, c'est certain. Tu auras de la peine. Alors, il est inutile qu'en plus, tu te trouves pleine de défauts pour justifier son refus. Cela n'arrangera pas tes affaires et rendra la guérison plus longue et plus difficile.

• Mais en insistant, penses-tu qu'il pourrait changer d'avis?

Faire les premiers pas, c'est une chose. S'humilier en est une autre. Certaines filles, une fois parties, vont avoir de la difficulté à s'arrêter. Le gars ne semble pas intéressé? Qu'à cela ne tienne! Elles vont lui écrire des lettres enflammées, le harceler au téléphone, interpréter son impatience et sa froideur comme un signe indéniable d'intérêt à leur égard... bref, elles vont faire de vraies folles d'elles.

Quand un gars dit non, il faut prendre cette réponse pour ce qu'elle est: un «non», point à la ligne. Il est inutile d'insister. Et ce n'est pas en lui rendant la vie impossible qu'on arrivera plus à ses fins. L'amour, ça ne se commande pas. On ne peut forcer personne à nous aimer. Pour qu'une relation ait une chance de s'épanouir, il faut que l'intérêt soit réciproque. Si, malgré tout, tu t'acharnes à vouloir faire naître un amour qui n'existe pas, tu ne feras que te blesser davantage.

• J'ai fait les premiers pas, il a dit oui. Qu'est-ce qui arrive après?

Cela ne signifie pas qu'il soit nécessairement amoureux fou de toi, mais c'est bon signe. Cependant, à partir de là, évite d'en faire trop. Faire les premiers pas, ce n'est pas faire tous les pas. Laisse-le venir à toi et te manifester l'intérêt qu'il te porte. S'il est vraiment attiré par toi, il sautera sur l'occasion que tu lui procures. Tu n'auras pas besoin de l'appeler tous les jours pour lui rappeler votre rendez-vous.

Votre histoire durera-t-elle toujours? Cela, personne ne peut le dire. Mais ce qui est certain, c'est que pour espérer qu'elle commence, il fallait bien que l'un des deux se décide à aller vers l'autre.

Rupture: mode d'emploi

Dans les chansons, le mot «amour» rime habituellement avec «toujours». Dans la réalité, cela se passe souvent de manière différente. Bien sûr, lorsqu'on aime et qu'on est aimé, on a l'impression que cela va durer la vie entière. Mais arrive parfois un moment où l'on se dit que cela ne peut continuer ainsi. C'est alors qu'on songe à la rupture.

Penser à rompre n'est jamais facile; se décider à passer à l'action peut devenir un véritable supplice. On ne sait pas comment s'y prendre, on a peur de la réaction de l'autre et, surtout, on ne voudrait pas lui faire mal. Après tout, on s'est tellement aimés, pourquoi se déchirer?

• Je veux rompre mais j'hésite car je ne veux pas lui faire mal. Qu'en penses-tu?

Espérer rompre sans faire mal à l'autre, ce n'est pas réaliste. À moins qu'il ne soit soulagé de nous voir prendre les devants, l'autre aura mal, c'est inévitable. Cela peut paraître dur, mais si tu veux être capable de lui dire que tu ne veux plus de lui, il te faudra accepter cette réalité. Il va avoir mal et ce sera en partie à cause de toi.

Attention! Je n'ai pas dis que ce serait de ta faute. Mais puisque tu mets fin à cette relation, évidement tu es mise en cause. Tu ne veux pas lui faire mal mais la situation est loin d'être agréable.

Remarque, il ne sera pas le seul à souffrir. Même si tu sais ce que tu as à faire et que tu es bien décidée, tu te sentiras sans doute malheureuse et même déchirée intérieurement.

• Comment faire pour rompre?

Il y plusieurs manières de s'y prendre. Certaines filles, qui ne se sentent pas la force d'affronter leur futur *ex-chum*, demandent à leur meilleure amie d'aller le voir et de lui annoncer la «bonne» nouvelle. Inutile de te spécifier qu'il s'agit là d'une façon inacceptable de procéder. C'est insultant pour le gars et cela met ta copine dans une situation très difficile. Donc, la première règle à suivre lorsqu'on désire rompre, c'est de se charger soi-même de ses commissions.

Bien qu'il soit possible de rompre au téléphone ou encore par lettre, l'idéal est de le faire en personne. Fixe-lui un rendez-vous dans un endroit neutre, style restaurant ou parc municipal, tu t'y sentiras plus à l'aise que si tu vas chez lui ou s'il vient chez toi.

Dis-lui bien aussi que tu as à lui parler seul à seul. Donc, qu'il n'arrive pas avec ses trois meilleurs amis. De ton côté, tu seras aussi seule (à moins que tu aies peur de lui, ce dont on reparle un peu plus loin). L'intimité de la rencontre est nécessaire car il y a des choses qui ne se disent que lorsqu'on est deux. Devant d'autres personnes, les mêmes mots peuvent devenir trop blessants pour pouvoir être acceptés. N'oublie pas, chacun a son orgueil et même si on veut rompre, il faut savoir le faire en respectant l'autre.

• Moi, mon problème c'est que je ne sais pas comment je vais lui dire ça. Quels mots devrais-je utiliser?

Par où commencer? Il s'agit souvent de la principale difficulté. Pourtant, tu pensais être bien préparée mentalement. Il y a à peine dix minutes, tu savais exactement ce que tu avais à lui dire. Puis là, tu parles de la pluie et du beau temps et tu n'arrives pas à aborder le sujet qui te préoccupe.

De deux choses l'une: ou tu finis par lui dire bêtement que tu ne veux plus rien savoir de lui ou tu termines la rencontre sans lui avoir rien dit. Dans un cas comme dans l'autre, tu rates ton but.

Un petit truc peut t'aider à trouver les mots et le ton justes. En plus d'imaginer à l'avance la scène de la rupture, prépare-toi un petit plan écrit. Par exemple, cela peut donner:

1. le remercier de sa présence;
2. j'ai quelque chose d'important à lui dire;
3. lui reparler un peu des débuts de notre relation;
4. lui dire que depuis quelque temps ça ne va plus comme avant;
5. je ne crois pas que ça puisse aller mieux;
6. donc, il vaut mieux nous séparer.

ou encore

1. lui demander comment ça va;
2. lui dire que de mon côté ça ne va pas bien;
3. lui révéler que je sais qu'il est infidèle et qu'il m'a menti;
4. je ne peux plus avoir confiance en lui;
5. je préfère qu'on ne se voit plus.

Il ne s'agit là que d'exemples. Ton plan sera à l'image de ce que tu as à lui dire. Garde-toi, par contre, d'être trop directe. Sans t'emberlificoter dans des nuances et des détails qui ne te mèneront nulle part, explique bien à ton futur ex-amoureux les raisons qui t'amènent à vouloir le

quitter. Il est aussi essentiel que ce plan tienne entièrement sur un petit bout de papier. Mets-le dans ta poche de jeans. Ainsi, tu pourras le consulter au besoin.

• À quelle réaction dois-je m'attendre de sa part?

Se faire dire qu'on n'est plus aimé, ce n'est jamais facile. Certains gars le prennent mieux que d'autres. Ils ne sauteront pas de joie (à moins qu'ils se sentent soulagés), mais ils vont accepter la décision de leur amie.

Par contre, certains gars ne le prennent pas du tout. Ils se divisent en deux catégories: le possessif et l'amoureux fou. Ce dernier aime l'autre beaucoup plus qu'il n'a été aimé. Cette fille, c'est la femme de sa vie, il en est certain. Il est prêt à tous les compromis pour la garder. Il n'a plus de dignité. Il passera des heures sous la pluie à l'attendre dans l'espoir qu'elle veuille bien lui adresser la parole. Il lui écrira des lettres d'amour passionnées dans lesquelles il parlera de son âme en peine et de son envie de mettre fin à ses jours.

Le possessif aussi parlera de suicide. Mais son ton sera différent. Il n'accepte tout simplement pas qu'on puisse le quitter. Aussi, cherche-t-il à se venger. Il veut faire en sorte que la vie de l'autre devienne impossible. Il la harcèlera au téléphone, il menacera de la tuer, puis de se tuer ensuite, il surveillera ses faits et gestes et voudra l'empêcher de sortir avec un autre gars.

Si l'amoureux fou peut devenir bien encombrant, le possessif peut être dangereux. Si tu as affaire à l'un de ces types, tu n'auras pas le choix, tu devras te montrer ferme. Ne donne aucun encouragement à l'amoureux fou et ne crée pas de faux espoirs chez lui. Même si cela est pénible, il faut que tu lui répètes, calmement et clairement, que tout est terminé. Il finira bien par comprendre et même si c'est difficile, il pourra commencer à faire son deuil de votre histoire d'amour.

Pour des raisons différentes, la fermeté est également de rigueur face au possessif. Ce gars peut devenir dangereux. Il faudra donc que tu penses à te protéger. Tu te dois de rester forte car c'est le genre de gars à profiter du moindre signe de faiblesse de ta part pour essayer de te manipuler. S'il te sent plus ou moins sûre de toi, il fera tout pour te faire sentir coupable, te faire revenir sur ta décision et reprendre ainsi le contrôle qu'il avait sur toi. Donc, n'oublie pas, avec un possessif, garde tes distances et ne te laisse surtout pas attendrir. Ta vie deviendrait un enfer!

- **Justement, j'ai peur de lui, de sa réaction. Je pense qu'il pourrait être violent et ça m'empêche de lui dire que c'est fini. Que me conseilles-tu?**

Dans ce cas, tu n'auras pas le choix, tu devras penser d'abord et avant tout à ta protection. La rencontre de rupture se passera non pas dans un lieu neutre mais dans un endroit où tu te sentiras en sécurité (par exemple, chez toi ou au restaurant où se tiennent tes amis).

Si tu ne te sens pas capable de lui faire face seule, rends-toi à ce rendez-vous avec une ou deux autres personnes. C'est moins intime, mais au moins tu ne prends pas de risques. Si malgré ta peur, tu es décidée à avoir un dernier face à face avec lui, assure-toi qu'il y a des gens en qui tu as confiance à portée de voix. En cas de pépin, ils pourront toujours te venir en aide. Prends bien soin cependant de les prévenir que tu pourrais avoir besoin d'eux. Ils seront alors à l'affût et ne confondront pas un cri de détresse avec un éclat de rire.

• Peut-on rester amis?

Lorsqu'on voit une scène de rupture à la télévision ou au cinéma, il y a toujours un des deux protagonistes qui dit d'un ton qui se veut conciliant: «Tu sais, on peut rester des amis.» Entre toi et moi, c'est une bien belle phrase mais elle n'a pas beaucoup de sens.

Quand on casse, ce n'est pas parce qu'on veut devenir amie avec l'autre. C'est parce que, pour une raison ou une autre, on n'est plus capable d'endurer la situation. Et même si on soutient le contraire, on lui en veut, on a des griefs contre lui. Si tout avait bien fonctionné, on n'en serait pas rendue là. Il faut d'abord régler cela et se donner le temps de digérer la rupture.

L'amour et l'amitié sont deux sentiments bien différents. On ne peux pas faire instantanément de son ex-amoureux son meilleur ami. Je ne te dis pas que ce n'est pas possible. Au contraire! Cela arrive souvent qu'un ancien *chum* deviennent un bon *chum*. Toutefois, lorsque cela se produit, c'est qu'il y a du temps, pas mal de temps, qui s'est écoulé depuis la séparation. Les blessures se sont cicatrisées et les deux «ex» peuvent se regarder sous un jour nouveau et devenir peut-être de véritables amis.

• Deux fois j'ai rompu, deux fois il m'a laissée. Et on est encore ensemble. Je ne comprends pas ce qui nous arrive. Peux-tu me l'expliquer?

On jurerait que la spécialité de certains couples c'est de casser. À chaque trois semaines, ils se laissent. Deux jours plus tard, ils se réconcilient. Des années et une trentaine de ruptures plus tard, ils sont encore ensemble. On se demande comment ils font.

En fait, ces couples ne rompent jamais pour vrai. C'est leur manière à eux de finir une discussion. Ce sont souvent deux êtres passionnés, qui n'arrivent pas à trouver de compromis. Pour eux, c'est tout blanc ou tout noir. On s'aime à la folie ou on rompt. Il n'y a pas de demi-mesures. Ils vivent dans l'euphorie la plus complète ou le drame le plus total. Lorsqu'ils cassent, ils sont sûrs que cette fois-ci, c'est vrai. Tout est fini! Après deux jours de pleurs et d'angoisse, ils se rappellent et se retombent dans les bras l'un de l'autre. C'est épuisant mais jamais ennuyeux!

S'il leur arrive de réellement se séparer, ce sera rarement à la suite d'une de leurs mélodramatiques disputes. Ce sera parce que l'un des deux tombera amoureux (évidemment passionnément) d'une autre personne ou encore parce qu'à force de déchirements, l'amour se sera envolé.

- **C'est moi qui ai cassé. Je devrais me sentir soulagée et libérée. D'un côté, je le suis mais, de l'autre, je me sens très triste. Est-ce normal?**

Il s'agit d'une réaction tout à fait normale, car même si c'est toi qui es à l'origine de la rupture, cela ne signifie nullement que tu sois heureuse de la situation. Après tout, tu y as cru à cet amour. Tu voulais qu'il soit éternel! Et comme l'éternité n'a duré qu'un temps, tu as un sentiment d'échec.

Tu te dis que si tu avais fait ça, s'il avait voulu, s'il ne t'avait pas dit que, si vous aviez su vous parler, tout aurait été différent et vous seriez encore ensemble. Là aussi, il s'agit d'une réaction normale. Tu as l'impression de n'avoir pas fait ce qu'il fallait, d'avoir tout raté.

Laisse-toi le temps de vivre ta peine. Avant de passer à un autre amour, tu as besoin de soigner tes plaies. Prends soin de toi et évite de t'isoler. Évidemment, cela peut être difficile si tes amis sont ses amis. Tu te retrouves, presque inévitablement exclue. Si c'est ce qui t'arrive, marche un peu sur ton orgueil, et appelle tes anciennes amies de filles. Certaines ne te recevront peut-être pas très bien, mais il en restera sûrement quelques-unes qui auront le goût de renouer avec toi. Et en passant, souviens-toi de la leçon. On ne doit jamais délaisser ses amies pour un gars. C'est le plus sûr moyen de se retrouver bien seule dans la vie.

Puis, un jour, après quelques semaines ou quelques mois, sans que tu saches vraiment pourquoi, ta peine sera chose du passé. Tu recommenceras à regarder les gars et il y en aura un à ton goût. Tu seras alors prête pour une nouvelle histoire d'amour. Pour toujours? Ça, personne ne peut te le garantir!

Un amour qui n'en est pas un

Rares sont les semaines qui passent sans qu'on entende parler d'un homme condamné pour inceste et (ou) abus sexuel. Parfois, on a l'impression qu'on en parle beaucoup trop. Cela devient presque déprimant. L'amour, après tout, ce n'est pas ça.

Pourtant, si l'on veut que ça arrête, on n'a pas le choix, il faut en parler. Pour que les filles qui vivent ça sachent qu'elles ne sont pas seules et qu'elles n'ont pas à se sentir coupables d'un crime dont elles sont les victimes.

• Quelle est la différence, s'il y en a une, entre l'inceste et l'abus sexuel?

L'inceste, c'est d'avoir des activités sexuelles (cela n'inclut pas nécessairement la pénétration) avec quelqu'un de sa famille: son père, son frère, sa sœur, sa mère, son cousin, son oncle, son beau-père, son grand-père, etc. Habituellement, l'inceste est aussi un abus sexuel. On parle d'abus lorsqu'un des partenaires est plus vieux, plus grand ou a plus de pouvoir: il use de sa force physique et (ou) psychologique pour obliger l'autre à poser ou à accepter des gestes d'ordre sexuel.

Par exemple, si une fille de 9 ans a des jeux sexuels avec son frère de 7 ans (genre attouchements aux organes génitaux) on peut parler d'inceste mais sans doute pas d'abus: la différence d'âge est trop petite et il n'y a pas de véritable relation de pouvoir entre les deux. Toutefois, si la même fille de 9 ans a le même type de jeux avec son frère de 15 ans, on parlera d'inceste, et aussi d'abus sexuel. En effet, sans avoir à la forcer à la pointe du couteau, le grand frère peut avoir assez d'ascendant psychologique pour convaincre sa petite sœur de se laisser faire. Il peut lui faire des menaces à peine voilées («si tu parles, personne ne va te croire et on t'enverra en centre d'accueil») ou encore la persuader que c'est elle qui le provoque et qu'il ne fait que ce qu'elle veut! Et pour lui prouver la véracité de ses dires, il ajoute qu'elle aime ça!

• Mais justement, est-ce que c'est possible que la fille aime ça?

Oui, c'est possible. Quand ça arrive, cela ne fait que compliquer les choses. Car la fille se sent très coupable et a l'impression d'être prise dans un cercle vicieux où elle est à la fois victime et complice. Mais cela ne signifie nullement que la fille provoque son abuseur. Ce qui n'est pas correct, ce n'est pas ce que la fille ressent: lorsqu'on est touchée à tel ou tel endroit, il est possible qu'on ait des sensations troublantes. Il n'y a rien de plus normal.

Non, ce qui n'est pas correct c'est le contexte dans lequel ces choses se passent. Et ce contexte, c'est l'abuseur qui le crée, pas la victime.

• C'est vrai qu'on entend beaucoup parler d'inceste, mais est-ce qu'il y en a tant que ça?

Une enquête effectuée aux États-Unis auprès de 900 femmes indique que 16 % d'entre elles auraient été incestuées et (ou) abusées dans leur enfance et (ou) leur adolescence. Ce chiffre peut te sembler très élevé, et il l'est peut-être, mais ce qu'il indique à coup sûr, c'est que l'inceste n'est pas un phénomène isolé.

• Quand j'entends parler d'inceste, l'abuseur est toujours un homme et la victime, une fille. Mais le contraire existe-t-il (gars abusé, femme incestueuse)?

D'après des recherches, dans la grande majorité des cas, le parent incestueux est un homme. En tête de liste on retrouve les beaux-pères, suivis par les pères, les oncles, les grands-pères, les frères et les cousins. On relève quelques cas de mères et de tantes incestueuses, mais ceux-ci sont plutôt rares.

Quant aux gars, eux aussi peuvent être victimes d'inceste. Cependant on retrouve plus de filles incestuées que de gars. On ne peut pas vraiment dire pourquoi c'est comme cela (certains avancent des réponses qui sont loin de faire l'unanimité), mais c'est ce que nous apprennent les chiffres.

• À quoi ça ressemble un abuseur?

Il n'y a malheureusement pas de portrait robot du père ou du «mon oncle» incestueux. Au premier coup d'œil, on ne peut pas les reconnaître. Ils sont comme tout le monde. Toutefois, ils ont certains traits de caractère en commun. Ce sont souvent des hommes qui, sous des dehors autoritaires et forts, sont très peu sûrs d'eux-mêmes. Ils sont immatures, possessifs et jaloux. Ils considèrent les membres de leur famille, et plus particulièrement leur fille (quand il s'agit du père), comme leur propriété. Souvent il vont même empêcher leur fille de sortir avec des garçons de leur âge. D'ailleurs, la plupart du temps, quand il y a plusieurs filles dans la famille, toutes finissent par être victimes d'inceste. Le père incestueux passe de l'une à l'autre (en général de la plus vieille à la plus jeune).

Lorsqu'on découvre ce qu'il a fait, s'il ne nie pas, il va tenter de minimiser ses gestes et (ou) sa responsabilité: «c'était juste un jeu», «elle aimait ça», «c'est elle qui le demandait», «dans le fond, j'ai fait son éducation sexuelle», etc.

Il est possible de traiter ce type d'hommes. Ce n'est pas une mince tâche, puisqu'il faut d'abord les convaincre de la gravité de leur comportement et du fait qu'ils ont besoin d'aide. Car sans aide, après un certain temps, il y a de gros risques qu'ils recommencent à nouveau.

- **J'ai entendu dire que, dans les familles pauvres, il y avait plus d'inceste que dans les autres, est-ce vrai?**

Non, ce n'est pas vrai. Des familles où il y a de l'inceste, on en retrouve dans toutes les classes sociales. Riches ou pauvres, cela ne pèse pas lourd dans la balance. Par contre, ce qui rend possible l'existence de tels comportements, c'est la présence du silence. Dans ces familles-là, tout est fermé, non dit. C'est cela qui permet au parent incestueux d'agir pratiquement au vu et au su de tous. Officiellement, personne ne voit ni n'entend rien. Officieusement, si on ne voit ni n'entend pas grand-chose, c'est peut-être parce qu'on ne veut rien voir, ni rien entendre.

• Moi, quelque chose m'échappe. Il me semble que si j'étais la mère d'une fille et que mon mari la touchait, je m'en apercevrais. Comment se fait-il que les mères ne voient rien?

Ce ne sont pas toutes les mères qui ne voient rien. Certaines réagissent très fortement et quittent leur conjoint immédiatement. Toutefois, il arrive souvent que les mères déclarent ne s'être aperçues de rien. Dans la majorité des cas, la mère est sincère lorsqu'elle dit n'avoir rien vu. Toutefois, comme on l'a signalé un peu plus haut, il s'agit de familles où on ne cherche pas trop à savoir. Et la mère est comme le reste de la famille.

Tu sais, on a facilement tendance à mettre le blâme sur la mère dans ces situations: elle aurait dû s'en apercevoir, faire cesser tout cela. Certains vont même jusqu'à prétendre que si elle avait su satisfaire sexuellement son conjoint, il n'aurait pas été tenté par la fille! Cela n'a rien à voir. Dans la plupart des cas, le seul responsable et le seul coupable, c'est l'abuseur. Par contre, le milieu et, entre autres, la passivité de la mère peuvent lui faciliter la tâche.

• Quand on est victime d'inceste, qu'est-ce qu'on peut faire pour que ça arrête?

Dans un premier temps, la fille doit décider de briser le mur du silence. Cela ne veut pas dire de crier sur les toits ce qui lui arrive. Par contre, l'infirmière de l'école, un professeur en qui elle a confi-

ance, une amie plus âgée et plus expérimentée, son médecin, le prêtre de la pastorale, un intervenant de son C.L.S.C., peuvent l'aider à se sortir de cette situation. Elle n'a pas à craindre de se faire traiter de menteuse. Ces histoires font malheureusement partie de la réalité et, comme on l'a vu, sont loin d'être rares.

• Mais si elle parle, est-ce que ça ne deviendra pas l'enfer pour elle à la maison?

Bien sûr, elle doit s'attendre à ce que cela fasse certains remous à la maison. Mais elle ne sera pas seule pour y faire face. Elle pourra compter sur l'aide d'intervenants spécialement formés pour l'aider. Dans certains cas, lorsque la mère apprend ce qui se passe, elle a une réaction d'incrédulité et même de colère envers sa fille. Mais la plupart du temps, assez rapidement, elle se rend à l'évidence et se sent très mal de ne pas avoir soupçonné ce qui se produisait sous son toit. Elle peut aussi vivre beaucoup de culpabilité par rapport à son enfant.

On ne peut jamais prévoir ce qui va se passer dans une famille de ce type quand la vérité éclate. Dans certains cas, il y a une séparation immédiate et permanente. Dans d'autres cas, la séparation ne sera que temporaire. Mais dans tous les cas, peu importe ce qui arrive, ce n'est pas la faute de la victime. Le grand responsable, c'est le parent incestueux.

• Si je sais qu'une de mes amies est victime d'inceste, qu'est-ce que je dois faire?

L'inceste, c'est un crime. Si tu sais qu'une de tes amies est prise là-dedans, ton devoir moral et légal est d'avertir le Directeur de la Protection de la Jeunesse (D.P.J.). Tu n'as pas à avoir peur, les informations reçues seront traitées de façon confidentielle. Donc, il n'y a pas de danger qu'on aille dire que c'est toi qui as téléphoné. Tu trouveras ce numéro dans les pages blanches de l'annuaire à la rubrique «Centre de services sociaux». Si tu ne le trouves pas, tu demandes le numéro à la téléphoniste. Si tu n'oses pas appeler toi-même ou si tu es incertaine de ce que tu dois faire, parles-en à un adulte en qui tu as confiance. Bien sûr, si tu es toi-même une victime d'inceste, tu peux faire appel au D.P.J. Cependant, comme ils sont débordés, il te faudra peut-être faire preuve d'un peu de patience.

Troisième partie: la sexualité

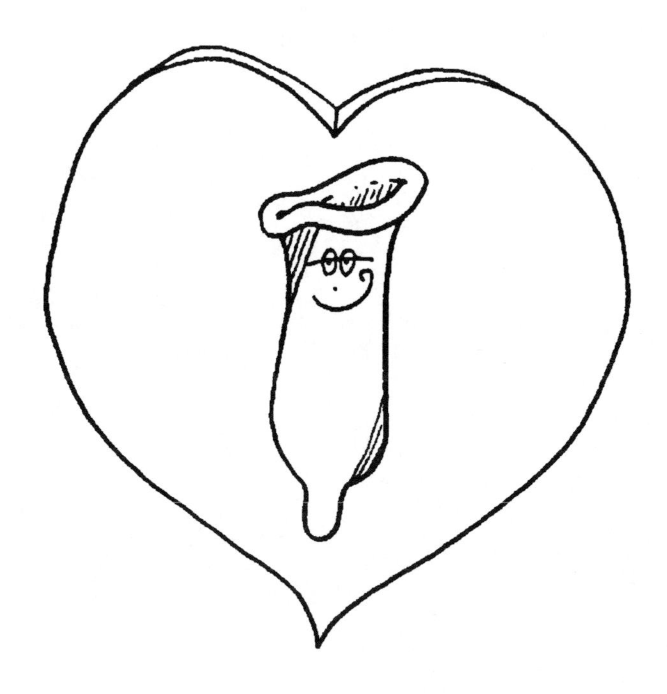

La contraception

Là encore, voici un thème qui ne suscite pas particulièrement un enthousiasme délirant. Pourtant, faire l'amour, c'est un petit jeu qui peut avoir des conséquences graves. Donc, tu n'as pas le choix de t'en soucier ou pas. Autant le faire intelligemment!

• Quand on me parle de contraception, je pense tout de suite à la pilule, mais c'est quoi au juste la pilule?

La pilule, qu'on nomme aussi anovulant, est sûrement le mode de contraception le plus connu. On parle de «la» pilule mais, en réalité, il s'agit plutôt d'une boîte contenant soit 21, soit 28 comprimés que l'on doit prendre à raison d'un comprimé par jour.

Pourquoi cette différence? Simplement, parce que les compagnies pharmaceutiques qui fabriquent les anovulants ont pensé aux femmes distraites. Je t'explique. Les vrais comprimés contraceptifs sont les 21 premiers. Les 7 autres ne sont que du bonbon et servent aux femmes qui ne veulent pas avoir à se casser la tête pour savoir quand recommencer à prendre la pilule. Lorsqu'il n'y a plus de comprimés, elles ouvrent une nouvelle boîte et recommencent dès le lendemain. Alors que les femmes qui choisissent les boîtes de 21 comprimés doivent attendre 7 jours et reprendre le processus (1 comprimé par jour) la huitième journée.

Ce mode de contraception existe depuis le début des années soixante. Son action est d'empêcher l'ovulation (voir chapitre sur les menstruations). C'est pour cela d'ailleurs que le vrai nom de la pilule est «anovulant». Ce terme signi-

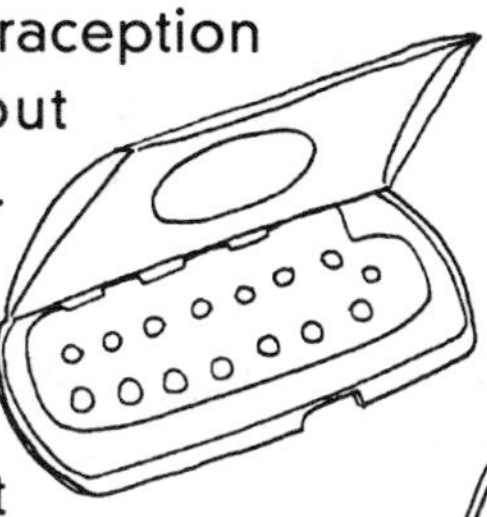

Gen

fie absence (an) d'ovulation (ovulant). Et s'il n'y a pas d'ovulation, il n'y a pas non plus de danger de tomber enceinte.

• Comment puis-je me procurer la pilule?

Pour te procurer des anovulants, il te faudra une ordonnance médicale. Tu devras donc aller voir un médecin pour lui demander qu'il te prescrive des anovulants. Peut-être te sentiras-tu gênée de faire cette démarche. Cette réaction est tout à fait normale. Quand on a 14, 15 ou 16 ans, aller voir un adulte et lui avouer en quelque sorte qu'on a ou qu'on pense avoir des relations sexuelles, ce n'est pas si facile. On a peur de se faire juger, critiquer, voire dénoncer auprès de ses parents.

Si tu te sens jugée par le médecin tu peux aller voir quelqu'un d'autre. Beaucoup de CLSC ont un Département Jeunesse où les intervenants sont spécialement formés pour travailler auprès des jeunes. Si tu ne connais personne, tu peux toujours demander conseil à l'infirmière de l'école ou à un adulte en qui tu as confiance.

• Est-ce vrai que la pilule c'est dangereux pour la santé?

On a beaucoup reproché à la pilule son côté «chimique». Et c'est vrai que la pilule c'est, en quelque sorte, des hormones artificielles. Cependant, il ne faut pas confondre les anovulants des années soixante à ceux d'aujourd'hui. Il y a vingt-cinq ans, il y avait beaucoup d'effets négatifs (nausées, vomissements, prise de poids, perte de désir, etc.) parce que le dosage des pilules à ce moment était très élevé. En fait, il était trop élevé pour la majorité des utilisatrices. De nos jours, les anovulants sont beaucoup plus «faibles» mais tout aussi efficaces. Ils provoquent aussi bien moins d'effets secondaires désagréables.

Toutefois, il ne faut pas nier l'existence de ces effets. Certaines femmes ne peuvent prendre la pilule, à cause d'antécédents médicaux ou d'une intolérance marquée face à celle-ci.

Mais la pilule n'a pas que des effets secondaires négatifs. Ainsi, on remarque chez les utilisatrices une diminution de la durée et du flux menstruel ainsi qu'une disparition de la plupart des douleurs menstruelles et pré-menstruelles; quand on a des menstruations douloureuses et abondantes de six ou sept jours, ça compte! Certaines femmes notent aussi une stabilisation de leurs humeurs. Elles ne ressentent plus les «hauts et les bas» qu'elles avaient auparavant.

Enfin, il faut dire qu'il y a une période d'adaptation normale d'environ trois mois. Durant ce temps, tu peux ressentir certains malaises (maux de cœur, saignements entre les menstruations, lourdeurs dans les jambes, etc.). Si ces symptômes ne t'empêchent pas de fonctionner, si, par exemple, ton saignement intermenstruel ne se transforme pas en véritables menstruations, ne t'inquiète pas. Par contre, si les malaises persistent, n'attends pas, retourne voir ton médecin. Il se peut que le type d'anovulants qu'il t'a prescrit ne soit pas pour toi.

À ce moment-là, il pourra changer ta prescritpion en conséquence.

• Est-ce que c'est vraiment efficace?

La pilule est sûre à 99 %. Cela signifie que si tu l'utilises correctement (sans en oublier une sur trois), il y a 1 % de risque que tu tombes enceinte.

• Est-ce que ça coûte cher?

Utiliser des anovulants, cela coûte environ 15 $ par mois. N'hésite pas à demander à ton ami d'en partager ou même d'en assumer les frais. Après tout, il en profite lui aussi et tu n'as pas à prendre toute la responsabilité de la contraception sur tes épaules.

• On nous parle beaucoup du condom, mais je ne suis pas certaine que ce soit très efficace. Toi, qu'en penses-tu?

Le condom agit comme une barrière mécanique. C'est-à-dire qu'il empêche le sperme de l'homme de s'écouler dans le vagin. S'il n'y a pas de sperme, il n'y a pas de spermatozoïdes et s'il n'y a pas de spermatozoïdes, il n'y a pas de fécondation possible.

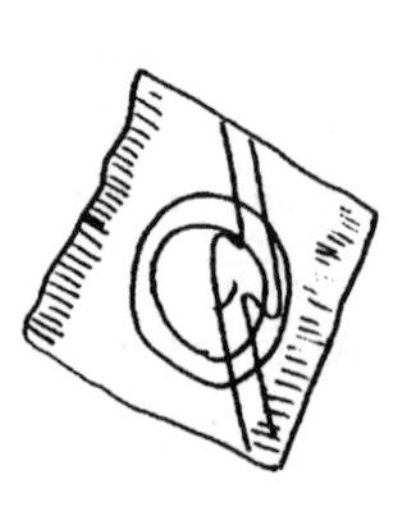

Utilisé seul, il est efficace à 85 %. S'il est enduit de

spermicide, ou s'il est utilisé avec une mousse ou une gelée spermicide, son efficacité monte à 95 %. Comme, de plus, il s'agit d'une excellente protection contre les MTS et qu'il est relativement peu coûteux et d'emploi facile, je pense qu'il s'agit là d'une méthode contraceptive à ne pas dédaigner.

• Une de mes amies m'a dit qu'on doit poser le condom juste avant que le gars éjacule. Est-ce vrai?

Le condom doit être installé avant la pénétration. Ceci est extrêmement important. Si tu attends que ton partenaire soit prêt à éjaculer (ou à «venir» si tu préfères), tu joues avec le feu. Premièrement, il n'est pas du tout assuré qu'il soit capable de prévoir son éjaculation avec exactitude. Deuxièmement, même s'il a un parfait contrôle, à un certain moment de l'excitation, il y a quelques gouttes de liquide qui s'écoulent au bout de son pénis. Ce liquide peut contenir des spermatozoïdes. Et comme il suffit d'une seule de ces petites bestioles pour féconder l'ovule, je ne crois pas qu'il y ait de risques à prendre.

• Comment installe-t-on un condom?

Avant toute chose, de préférence avant la relation sexuelle, lisez, toi et ton partenaire, les instructions. Que ce soit toi ou lui qui le pose, cela n'a pas beaucoup d'importance. Assurez-vous par contre que le petit bout qui dépasse soit bien plat. Car s'il est gonflé d'air il peut éclater lors de l'éjaculation ce qui, tu seras d'accord avec moi, n'est pas tout à fait l'effet recherché...

Plus sérieusement, tout de suite après l'éjaculation, ton partenaire doit se retirer de ton vagin. S'il ne le fait pas, le pénis reprenant graduellement sa grosseur normale; il y aura risque que le condom glisse et demeure dans le vagin.

• Comment et où puis-je me procurer des condoms?

Tu trouveras des condoms dans toutes les pharmacies. Tu n'as pas besoin d'ordonnance médicale et, la plupart du temps, tu n'as pas à les demander à qui que ce soit. Ils sont là, sur les étagères, et tu n'as qu'à faire ton choix.

• Y a-t-il de meilleurs condoms que d'autres?

Personnellement, je te recommande de t'orienter vers les grandes marques (Ramses, Sheik, Shield). Le condom lubrifié et enduit de spermicide (Nonoxynol-9) facilitera le glissement du pénis dans le vagin et te procurera une sécurité supplémentaire. Même si tu choisis un condom lubrifié, je te suggère d'ajouter un peu de gelée lubrifiante stérile[1] sur le condom comme Lubrifax ou K-Y. Tu trouveras habituellement ces produits au rayon de «l'hygiène féminine». N'oublie pas aussi de surveiller la date d'échéance. Un condom éventé,

[1]En passant, la «vaseline» ce n'est pas un lubrifiant. De plus, cette gelée faite à base de pétrole peut amoindrir la résistance du condom.

parce qu'il est trop vieux, se brise facilement. Dans le même ordre d'idée, ne range jamais un condom dans un endroit trop chaud (coffre à gants d'auto, sac de plage, etc.): du caoutchouc mou, ce n'est pas du tout résistant.

Enfin, bien qu'on puisse trouver certains condoms d'un format un peu plus grand que la moyenne, il n'y a pas de taille «petit», «moyen», «grand» dans les préservatifs. L'élasticité du latex assure un ajustement automatique autour du pénis.

• Mon *chum* dit que ça lui enlève de la sensibilité et moi j'ai l'impression que ça brise toute la spontanéité. Toi qu'en penses-tu?

Je dois te dire que ce sont des reproches qui m'agacent. Bien sûr, si on prend le condom comme une punition, quelque chose de «ben platte», on va lui trouver tous les défauts du monde. Puis, si on ne l'a pas à la portée de la main, s'il faut se lever pour aller dans la pharmacie de la salle de bains le chercher, cela complique encore les choses. C'est certain, ça brise un peu la spontanéité que de s'arrêter une minute pour poser un condom. Mais on peut en faire un jeu. On peut le voir positivement, comme un ami plutôt que comme un ennemi. Il te protège autant d'une grossesse non désirée que d'une MTS encore moins désirée. C'est plutôt bien pour un petit bout de caoutchouc, ne trouves-tu pas?

Quant à la perte de sensibilité masculine, lorsqu'il y a perte, elle n'est pas énorme. Les condoms d'aujourd'hui sont très minces. Mais même dans le cas où ton partenaire aurait vraiment moins de sensations, cela peut être un avantage. Beaucoup de jeunes hommes vont vite en affaires. Le fait d'avoir une sensibilité légèrement diminuée peut les aider à mieux contrôler la vitesse de leur éjaculation.

- **Si je ne veux utiliser ni la pilule ni le condom, y a-t-il d'autres méthodes qui s'offrent à moi?**

Oui, mais on les recommande moins aux filles de ton âge. Toutefois, pour que tu puisses faire un choix éclairé, je t'en dis un peu plus sur chacune de ces méthodes.

Les gelées et mousses spermicides

Ce que c'est:

Un spermicide est un produit qui a la propriété de tuer les spermatozoïdes. Il est vendu soit en tube de gelée ou en bonbonne de mousse. Habituellement, il ne s'agit pas d'un moyen contraceptif qu'on emploie seul. Il sert plutôt d'appui à d'autres méthodes, comme le diaphragme et le condom.

Il existe quelques types de spermicides. L'un d'entre

eux, le Nonoxynol-9, en plus de tuer les spermatozoïdes, détruit aussi le virus du SIDA. Remarque qu'on a fait cette expérience en éprouvette. De là à savoir s'il peut accomplir le même exploît dans le corps humain, il y a une marge. Toutefois, on peut penser que peut-être il le fait.

Leur mode d'utilisation:

Comme je te l'ai dit, les spermicides sont habituellement utilisés avec une autre méthode contraceptive. Aussi il n'est pas recommandé de les choisir comme seul mode contraceptif. Si cependant tu choisis cette méthode, n'oublie pas que tu dois appliquer la gelée ou la mousse une heure avant la relation sexuelle.

Comment se les procurer:

Les spermicides se vendent sans ordonnance à la pharmacie.

Leurs effets secondaires:

Certaines femmes sont allergiques aux spermicides. Celles-ci auront des démangeaisons et des irritations au contact de la mousse ou de la gelée. Dans ce cas, il faut cesser immédiatement l'utilisation de ce produit. On ne connaît pas d'autres effets secondaires.

Son efficacité:

Utilisée seule, la mousse a une efficacité de 70 à 80 %. Avec une autre méthode, l'efficacité s'accroît (voir condom et diaphragme).

Son prix:

Un tube ou une bonbonne de spermicide coûte environ de 15 $ à 25 $. Cela revient à environ cinquante sous par utilisation.

Le stérilet

Ce que c'est:

Le stérilet a aussi pour nom D.I.U., c'est-à-dire Dispositif Intra Utérin. Comme ce dernier nom l'indique, il s'agit de quelque chose qui va dans l'utérus. En fait, c'est un petit appareil qui peut avoir plusieurs formes: en T, en 7, en demi-cercle. Au bout de cet appareil, il y a des fils.

La fonction du stérilet est d'immobiliser les spermatozoïdes et de bloquer l'implantation de l'ovule fécondé. En effet, à cause de la présence du stérilet qui est un corps étranger, les parois de l'utérus deviennent inaptes à accueillir un embryon.

Son utilisation:

Le stérilet doit être installé par un médecin. Habituellement, cette installation se fait durant les menstruations car à ce moment il est plus facile de dilater le col de l'utérus et d'y insérer le stérilet.

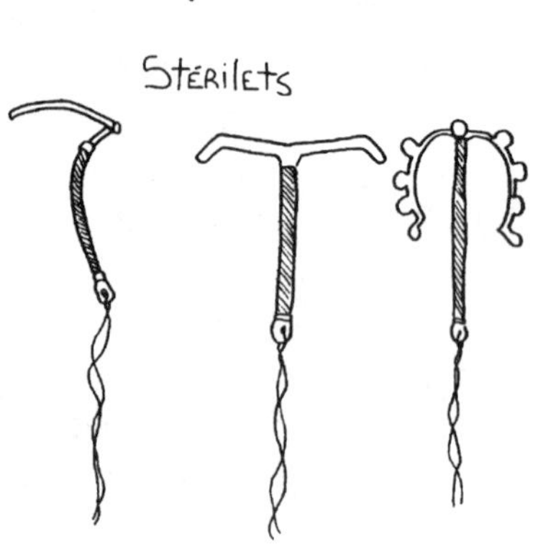

Les petits fils qui pendent au bout de celui-ci sont alors coupés à quelques centimètres du col de l'utérus. Ils serviront lorsque la femme voudra se faire enlever son stérilet. Il est à noter que le partenaire peut sentir ces fils lors de la pénétration (non, ça ne lui fait pas mal).

Une fois le stérilet installé, la femme n'a plus à y penser. On lui recommande toutefois de le faire vérifier à tous les ans pour s'assurer qu'il est encore bien en place. Un stérilet peut demeurer dans l'utérus durant cinq ans.

Bien que d'utilisation très simple, il ne s'agit pas d'une méthode recommandée aux filles de ton âge qui n'ont pas eu d'enfant. Ceci parce que le col de ton utérus se dilate moins facilement que celui d'une femme qui a déjà accouché mais aussi à cause des effets secondaires dont nous parlerons dans quelques lignes.

Les effets secondaires:

Le stérilet, comme tel, ne cause pas d'infections. Cependant, sa présence peut favoriser le passage des bactéries du vagin à l'utérus et aux trompes de Fallope qui elles peuvent causer des infections graves nécessitant parfois l'hospitalisation. Avec l'épidémie actuelle de MTS, il faut se montrer prudente.

Mais il ne s'agit pas du seul effet secondaire possible du stérilet. Au contraire des anovulants qui, eux, réduisent la durée et le flux menstruel, la femme qui a un stérilet voit ses menstruations devenir plus longues, plus abondantes et plus douloureuses.

Son efficacité:

L'efficacité du stérilet se situe de 95 % à 98 %. Il s'agit donc d'une méthode très efficace.

Son prix:

Le prix variera beaucoup selon l'endroit où la femme se procurera son stérilet. Mis à part certains CLSC et cliniques de femmes où il est moins dispendieux, le coût d'un stérilet posé atteint facilement 100 $.

Le diaphragme et la cape cervicale

Ce que c'est:

Le diaphragme ressemble à une petite soucoupe. Quant à la cape cervicale, elle a la forme d'une cloche. Les deux sont en caoutchouc mais la cape cervicale est plus rigide que le diaphragme. Celui-ci recouvre le col de l'utérus tandis que la cape cervicale agit plus par succion. L'un et l'autre exigent l'utilisation d'un spermicide.

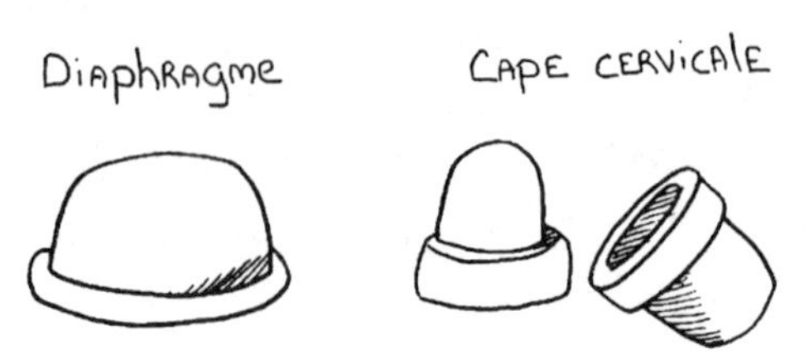

La fonction du diaphragme et de la cape cervicale est la même. Tous les deux ferment la voie aux spermatozoïdes qui voudraient se frayer un chemin vers l'utérus.

Leur utilisation:

Que tu choisisses le diaphragme ou la cape cervicale, il s'agit de méthodes d'utilisation assez complexes qui demandent une bonne connaissance de son corps. De plus, il faut avoir une bonne discipline puisqu'il faut installer le diaphragme ou la cape cervicale quelques temps avant la relation sexuelle.

À 14, 15 ou 16 ans, il est assez rare qu'on se sente très à l'aise avec ses organes génitaux internes. Puis, il faut bien l'avouer, on a plus tendance à se laisser aller à ses impulsions du moment. Alors, la pose du diaphragme une heure ou deux avant, ce n'est pas évident du tout.

Comment se les procurer:

La cape cervicale et le diaphragme ne peuvent s'obtenir que sur ordonnance médicale. La raison est bien simple. La grandeur du col de l'utérus varie d'une femme à l'autre. Il n'y a que le médecin qui, après en avoir pris la mesure, peut te dire quelle est la grandeur de ton col. De plus, c'est lui qui te montrera la technique pour installer ton diaphragme ou ta cape cervicale.

Les effets secondaires:

Mise à part une allergie possible au caoutchouc et (ou) au spermicide, il n'y a pas d'autres effets secondaires connus.

Leur efficatité:

Utilisés correctement, le diaphragme et la cape cervicale ont une efficacité de 85 %.

Leur prix:

Diaphragme et cape cervicale coûtent environ 20 $. Bien sûr, il ne faut pas oublier d'ajouter le prix du spermicide.

L'éponge vaginale contraceptive

Ce que c'est:

En Europe, on connaît l'éponge vaginale contraceptive depuis plusieurs années. Au Québec, elle n'est disponible sur le marché que depuis quelques années. Comme son nom l'indique, il s'agit d'une éponge d'environ 4 centimètres de diamètre, renfermant un spermicide. Celle-ci peut être maintenue dans le vagin durant un maximum de 30 heures et elle offre une protection contre la grossesse lorsque la relation sexuelle se produit dans les premières 24 heures d'usage.

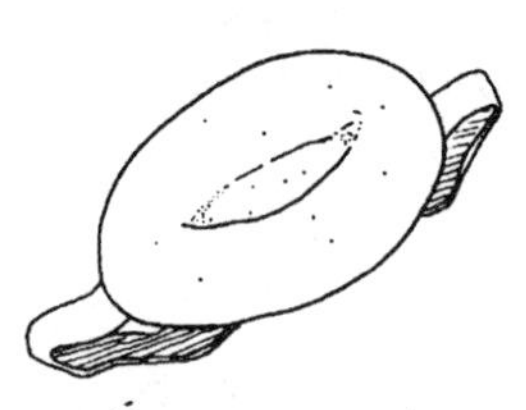

Éponge vaginale

L'éponge contraceptive agit de trois façons:

1. le spermicide tue les spermatozoïdes;
2. l'éponge bloque le col de l'utérus (comme le diaphragme ou la cape cervicale);
3. l'éponge absorbe le sperme.

Son utilisation:

Chaque éponge n'est utilisable qu'une fois. Il faut d'abord mouiller l'éponge avec de l'eau du robinet. L'eau active le spermicide. Ensuite, il faut presser l'éponge jusqu'à ce qu'elle devienne savonneuse. Puis il faut plier l'éponge en deux en s'assurant que le ruban pend au-dessous de l'éponge. Enfin, on procède à l'insertion. La technique utilisée est sensiblement la même que pour le diaphragme et la cape cervicale. Et, comme pour ces deux autres méthodes, je trouve qu'il faut très bien connaître son corps et se sentir à l'aise avec celui-ci. Ce qui n'est pas toujours le cas pour une fille de ton âge.

Comment se la procurer:

Cette éponge (la marque commerciale est TODAY) est en vente libre dans les pharmacies.

Ses effets secondaires:

Mise à part l'allergie au spermicide, on ne note pas d'autres effets secondaires.

Son efficacité:

Selon la compagnie qui fabrique ces éponges, le taux d'efficacité serait de 90 %.

Selon une pharmacienne interrogée à ce sujet, il se situerait plutôt à 80-85 %.

Son prix:

Une boîte de 3 éponges vaginales contraceptives coûte environ 6$.

Méthodes dites naturelles

Ce que c'est:

Les méthodes naturelles sont celles qui ne font intervenir aucun produit ou élément extérieur. Elles visent à nous amener à connaître avec exactitude (du moins on l'espère) le moment de notre ovulation. Si on connaît ce moment, on peut voir venir les jours «dangereux» et ainsi éviter les grossesses non désirées.

La méthode du thermomètre, celle de la glaire cervicale et celle du calendrier, qu'on appelle aussi méthode Ogino, sont les principales méthodes de contraception naturelle. La première consiste à connaître les variations de la température corporelle. La deuxième à analyser la couleur et la texture de nos pertes vaginales. La troisième à connaître précisément la longueur de notre cycle menstruel.

Leur utilisation:

La méthode du thermomètre demande que l'on prenne chaque matin notre température corporelle. L'analyse de la glaire cervicale (autre mot pour les pertes vaginales) se fait aussi quotidiennement. Quant à la méthode du calendrier, il s'agit, à chaque mois, de noter la date du début des menstruations. Après quelques mois, si on est régulière, on devrait connaître relativement bien la longueur de son cycle.

Généralement, les organismes comme SERENA qui font la promotion de ce type de contraception, suggèrent aux femmes d'utiliser les trois méthodes concurremment. Si la température de notre vagin correspond avec l'état de notre glaire et la date du calendrier, selon eux, on devrait être pas mal sûre de notre affaire.

Là encore, il s'agit de méthodes qui demandent beaucoup de discipline et, pour une d'entre elles, une bonne connaissance de ton corps. Si tu décides d'essayer ces méthodes (ce que j'hésiterais à te recommander à cause de ce que je viens de te dire et aussi à cause du niveau d'efficacité), il est essentiel selon moi que tu contactes le groupe SERENA. Ils pourront te donner l'information et la formation nécessaires pour bien utiliser cette méthode Mais, de grâce, ne te fie pas qu'à une de ces méthodes: c'est un des meilleurs moyens de tomber enceinte.

Leurs effets secondaires:

Il n'y en a aucun.

Leur efficacité:

Selon SERENA, si on emploie ces trois méthodes ensemble de façon très stricte, le niveau d'efficacité serait comparable à celui de la pilule. Cependant, aussitôt qu'on déroge un tant soit peu et qu'on prend des chances, les risques de grossesses non désirées s'accroissent très rapidement. D'autres sources de renseignements parlent plutôt d'efficacité à 60, 80 %.

Leur prix:

L'emploi de ces méthodes ne coûte presque rien. Si tu suis la formation de SERENA, ce que je te conseille fortement au cas où tu choisirais ce type de méthode, on te suggérera de faire un don volontaire (comme il s'agit d'un organisme bénévole, ils ont besoin de la contribution du public). Tu trouveras facilement le numéro de téléphone de SERENA dans l'annuaire téléphonique.

• La pilule du lendemain est-elle une bonne méthode de contraception?

Ça fonctionne la pilule du lendemain (voir page 172). Mais comme il s'agit d'une vraie bombe pour ton corps, on ne peut en AUCUN CAS l'envisager comme contraceptif habituel.

• On m'a dit que si je prenais une douche vaginale tout de suite après la relation, il n'y aurait pas de danger. Est-ce vrai?

Les spermatozoïdes sont des petites bestioles très rapides. Aussitôt dans le vagin, ils cherchent le chemin de l'utérus. Donc, il est parfaitement inutile d'essayer de les chasser avec une douche vaginale. Le temps que tu t'installes, même si tu as tout préparé d'avance, il est déjà trop tard.

• Mon chum m'assure que s'il se retire avant d'éjaculer, je ne tomberai pas enceinte. A-t-il raison?

Lorsque le partenaire se retire avant d'éjaculer, on appelle cela «coït interrompu». Il ne s'agit pas d'une méthode de contraception efficace. Il ne faut jamais se fier à un gars qui te dit qu'il va se retirer à temps. Sans doute est-il bien sincère. Malheureusement, il n'est pas du tout certain qu'il soit capable de faire ce qu'il promet. De plus, même s'il arrive à se retirer, à un certain moment de l'excitation quelques gouttes de liquide s'écoulent au bout de son pénis. Dans ces quelques gouttes, il peut y avoir des spermatozoïdes. Et qui dit spermatozoïdes dit fécondation possible.

• Et sans pénétration, y a-t-il quand même des risques?

Bien sûr, tu ne tomberas pas enceinte en faisant du «necking»! Par contre, si tu as une relation sexuelle presque complète, il peut y avoir des risques. Il ne sont pas très élevés mais ils sont là. Je t'explique. Par exemple, tu permets à ton partenaire de mettre son pénis entre tes cuisses serrées et de faire comme s'il s'agissait d'une pénétration. À ce moment-là, il se peut que, s'il éjacule, il y ait du sperme qui se retrouve bien près de l'entrée du vagin. Les spermatozoïdes, comme on l'a dit, sont très rapides et ils sont attirés comme un aimant par le vagin. S'ils sont près de celui-ci, ils en chercheront l'entrée. C'est rare qu'une fille tombe enceinte de cette manière, mais cela arrive.

- **Je suis certaine que ça ne m'arrivera pas à moi, je ne fais pas l'amour assez souvent. Pourquoi est-ce que j'utiliserais une méthode de contraception?**

Quand une fille se dit «ça ne m'arrivera pas à moi», «la première fois je ne peux pas tomber enceinte», «si je ne le veux pas, il ne m'arrivera rien», elle utilise ce qu'on appelle la «pensée magique». C'est-à-dire que, par la seule force de sa conviction, elle croit avoir raison de la réalité. Tout le monde voudrait avoir ce pouvoir. Malheureusement, ça ne fonctionne pas et cela nous pousse à prendre des risques inutiles. C'est peut-être ce que tu es en train de faire.

CONTRACEPTION: LES POUR ET LES CONTRE DE CHAQUE MÉTHODE

La pilule

Les pour

- très efficace
- utilisation relativement simple
- ne brise pas la spontanéité
- si coût partagé, prix abordable

Les contre

- ne protège pas contre les MTS
- non recommandée à celles qui oublient tout ou qui sont toujours dans la lune

Le condom

Les pour

- protection contre les MTS
- prix relativement bas
- utilisation simple

Les contre

- efficacité incertaine si utilisé seul
- brise la spontanéité

Les mousses et gelées spermicides

Les pour

- bonne méthode d'appui
- peu d'effets secondaires
- ne brisent pas la spontanéité

Les contre

- non recommmandées comme méthode unique
- demandent une certaine prévoyance

Le stérilet

Les pour

- efficacité très élevée
- méthode simple
- méthode peu coûteuse
- ne brise pas la spontanéité

Les contre

- non recommandé aux femmes jeunes n'ayant jamais eu d'enfant
- non recommandé aux femmes ayant plusieurs partenaires (à cause des MTS)
- risques accrus de complications lors d'infections vaginales
- douleurs aux menstruations
- durée et flux menstruel accrus

Le diaphragme et la cape cervicale

Les pour

- méthode relativement peu coûteuse
- ne brise pas la spontanéité de la relation

Les contre

- demande de la prévoyance
- utilisation relativement complexe
- efficacité discutable
- méthode non recommandée aux adolescentes

L'éponge vaginale

Les pour

- offre une certaine protection contre les MTS
- peu d'effets secondaires
- ne gêne pas la spontanéité
- possibilité d'avoir plusieurs relations sexuelles avec la même éponge (dans les 24 heures)

Les contre

- produit coûteux pour des adolescentes
- utilisation complexe
- niveau d'efficacité incertain

Les méthodes dites naturelles

Les pour

- méthode sans effets secondaires
- méthode peu onéreuse.

Les contre

- efficacité incertaine
- méthode complexe d'utilisation
- méthode peu adaptée aux adolescentes
- aucune protection contre les MTS

La première fois[2]

La première relation sexuelle! On aura beau dire qu'il n'y a rien de plus naturel, c'est quand même toute une étape à franchir. On ne sait pas trop à quoi s'attendre, on espère que ça va bien se passer mais en même temps on craint le pire. Et c'est sûr que, tant que tu ne l'auras pas vécue, tu ne sauras pas vraiment ce que c'est. Ce qui ne t'empêche nullement de t'y préparer psychologiquement... et concrètement!

2. Article paru dans *Filles D'Aujourd'hui* du mois de décembre 1993.

• J'aime mon chum, mais j'hésite à coucher avec lui. Comment savoir si je suis vraiment prête?

L'amour est une chose, le désir sexuel en est une autre. Je m'explique. Le désir sexuel c'est quelque chose que l'on sent physiquement. Évidemment, quand on aime on veut être proche de l'autre. Mais ce n'est pas parce que tu aimes ton *chum* que tu es nécessairement prête à faire l'amour avec lui. Tu peux avoir le goût d'être près de lui, de l'embrasser, de le caresser, d'être caressée par lui sans vouloir aller plus loin. Et c'est tout à fait correct. Tu n'es pas une «agace» pour ça.

Partant de là, si tu as un véritable désir sexuel, est-ce que cela signifie automatiquement que tu sois prête à faire le saut? Pas nécessairement. Faire l'amour, ce n'est pas un jeu d'enfant. Cela peut avoir des conséquences. Bien sûr, tu peux tomber enceinte, attraper une MTS, tout le monde sait ça. Mais en te hâtant trop, tu peux aussi te blesser émotivement. Donc, il faut que tu saches à quoi tu t'engages et que tu sois prête à y faire face.

Dans l'idéal, cela veut dire que tu en as parlé avec ton *chum*, que vous vous soyez entendus sur un mode de contraception et de protection contre les MTS et que vous ayez accès à un lieu d'intimité (faire l'amour en craignant que la mère de ton *chum* fasse irruption dans sa chambre, ce n'est pas vraiment agréable). Si ces conditions sont remplies et si tu le désires vraiment, oui, on peut dire que tu es prête à avoir ta première relation sexuelle.

Enfin, dis-toi bien qu'il n'y a pas d'âge où l'on doit avoir fait l'amour. Si certaines filles sont prêtes à 14 ans, d'autres ne le seront qu'à 18 ou 19 ans. Tout ça, c'est une question de développement personnel. L'important, c'est que tu respectes le tien!

- **J'ai peur qu'après avoir fait l'amour avec lui, il me laisse tomber. Comment savoir s'il m'aime vraiment?**

S'il passe son temps à mettre de la pression sur toi pour que tu acceptes de faire l'amour, c'est mauvais signe. Ça signifie qu'il n'est pas très sensible à tes hésitations et à tes craintes. Quand on aime pour vrai, on se soucie de ce que l'autre peut ressentir. Donc, si tu as l'impression que tout ce qui compte pour lui c'est son besoin, fais attention. Il se peut très bien qu'après avoir eu ce qu'il voulait, il te laisse tomber.

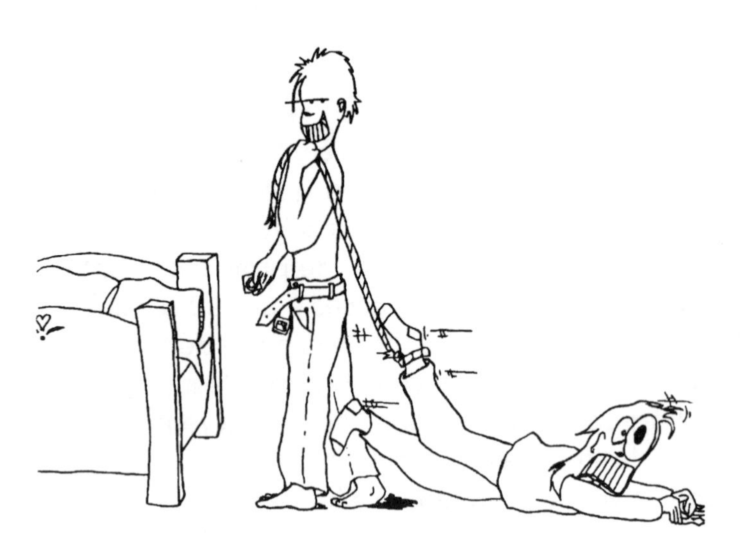

Toutefois, s'il te fait part de son désir tout en se disant prêt à t'attendre, si tu perçois qu'il respecte ton rythme, si tu sens que tout ça évolue de façon naturelle, je pense alors que tu peux lui faire plus confiance. Votre première relation sexuelle sera une autre étape dans votre histoire d'amour et ne marquera pas la fin de celle-ci. Je ne te dis pas que tu passeras ta vie avec lui, nul ne peut prédire l'avenir, mais il ne te laissera pas tomber pour ce qui est censé être d'abord un acte d'amour et de rapprochement.

- **J'angoisse à l'idée de me mettre nue devant lui car j'ai l'impression d'avoir plein de défauts physiques. Est-ce que mon corps l'excitera?**

Qu'on ait 14, 30 ou 50 ans, devant un miroir, toutes les femmes se ressemblent. Nous avons toutes tendance à ne remarquer que nos défauts. On aurait beau être «taillée au couteau», rien n'y fait. Il y a peu de femmes qui se trouvent vraiment à leur goût. Tu ne fais donc pas exception.

Oui, je sais, toi ce n'est pas pareil. Tu es vraiment moche! Trop grosse ou pas assez, des seins trop volumineux ou pratiquement absents, des fesses trop rebondies ou plates comme une autoroute, des boutons d'acné et des cheveux gras, tu as tout pour ne pas plaire... Enfin, c'est ce que tu crois.

Parce que, vois-tu, si nous avons toutes des défauts, nous avons toutes aussi des qualités physiques. Alors, encore une fois, regarde-toi bien devant la glace. Mais pour faire changement, essaie de voir ce que tu as de beau. C'est difficile de trouver? Fais un petit effort, cesse d'être aussi sévère avec toi. Juge-toi comme ta meilleure amie le ferait. Tu n'y arrives pas? Alors, demande à ta meilleure amie comment elle te trouve physiquement. Bien sûr, elle ne te dira pas que tu es parfaite, personne ne l'est, mais je suis sûre que tu trouveras plus grâce à ses yeux qu'aux tiens. Oui, me diras-tu, mais comme elle t'aime telle que tu es, cela ne compte pas! Elle n'est pas impartiale...

Alors justement, ton *chum* non plus n'est pas impartial. Il t'aime et il te voit avec les yeux de l'amour. Ce qui ne fait pas de lui un aveugle. Même s'il ne t'a jamais vue nue, il sait déjà à quoi s'attendre. Et cela semble lui plaire puisqu'il est avec toi. Enfin, dis-toi bien qu'il est fort possible que lui aussi soit gêné à l'idée de se montrer nu devant toi. Car tu sais, être un gars de 14-15 ans, ce n'est pas plus drôle qu'être une fille du même âge. On se trouve rarement à notre goût.

• Il me dit souvent qu'il m'aime, mais il ne m'a jamais demandé de coucher avec lui. Une fille peut-elle faire le premier pas?

Oui, tu peux faire ce premier pas. Je te conseille par contre de bien choisir ton moment et d'y aller avec délicatesse, par étapes, car il se peut bien que ton *chum* soit le genre «grand timide» ou encore qu'il n'ose pas te demander de faire l'amour avec toi de peur de n'être pas à la hauteur.

Commence donc par lui faire connaître ton désir. Dis-lui que toi, t'aurais le goût de plus avec lui, que tu te sentirais prête à faire l'amour avec lui. Spécifie par contre immédiatement que tu ne lui demandes pas de s'exécuter immédiatement, mais que tu aimerais ça que vous en parliez. Tu verras quelle sera sa réaction. S'il se montre ouvert à la discussion, c'est bon signe. Par contre, s'il se referme comme une huître, cela signifie sans doute qu'il a un certain malaise face à la sexualité. Cela te prendra alors beaucoup de patience et de doigté. Mais si tu tiens à cette relation, cela vaut sans doute la peine d'attendre.

• Le SIDA et les MTS me font peur. Et s'il fallait que je tombe enceinte... Quelles précautions dois-je prendre afin de ne courir aucun risque?

Si vous en êtes, l'un et l'autre, à votre première expérience sexuelle, vous n'avez pas à vous soucier du SIDA et des autres MTS. Par contre, si l'un de vous deux a déjà fait l'amour, vous devrez utiliser le condom. Bien sûr, ton *chum* n'est pas un courailleux, il n'a eu qu'une blonde sérieuse avant toi, mais si tu ne veux courir aucun risque de ce côté, il te faudra employer des condoms.

En ce qui a trait à la contraception, le condom, employé seul, n'est pas le moyen contraceptif le plus sûr. Je te conseille donc soit d'utiliser le condom en combinaison avec une gelée spermicide (certains types de condom sont déjà enduits de cette gelée), ou encore d'aller voir un médecin pour te faire prescrire des anovulants.

En aucun cas, cependant, tu ne dois prendre de «chance». Car même la première fois, tu peux tomber enceinte.

• J'ai entendu dire que la première fois ça fait très mal. Est-ce vrai?

Ce que tu ressentiras dépendra en grande partie de la façon dont vous aurez préparé cette première relation. Plus tu te sentiras à l'aise, plus il y a de chances que tu trouves cette expérience agréable. À l'opposé, si tu te sens tendue, pas vraiment prête à faire l'amour, si tu as peur qu'on vous surprenne, il est fort possible que cela te fasse mal. Ceci simplement parce que, dans ces conditions, tu auras tendance à te contracter, ce qui rendra la pénétration douloureuse.

Par contre, ne t'attends pas à connaître l'extase et l'orgasme dès la première relation. Contrairement aux gars, notre orgasme n'est pas automatique. Pour l'atteindre, nous avons besoin de beaucoup d'abandon et d'une certaine connaissance de nos points sensibles. Tu n'as pas d'expérience, il n'en a pas non plus (ou il n'en a pas beaucoup). Souvent, les hommes jeunes sont vite en affaires. Si le tout se termine en l'espace de cinq minutes, tu n'auras pas le temps de sentir grand-chose. Donnez-vous une chance d'apprendre et de vous révéler l'un à l'autre.

- **Est-ce possible qu'il ne puisse pas me pénétrer parce que mon vagin est trop petit?**

Il se peut qu'il ne puisse pas te pénétrer mais ce ne sera pas parce que ton vagin est trop petit. En fait, notre vagin est un peu comme un gant «*Isotoner*» ou un bas culotte «*one size*», c'est-à-dire qu'il est conçu pour pouvoir recevoir tous les formats de pénis. S'il en était autrement, imagine les complications que cela engendrerait: on se plaît, on s'aime, on se désire mais notre amour est impossible car son pénis et notre vagin sont incompatibles! Cela n'aurait pas de sens.

Plus sérieusement, trois raisons peuvent rendre la pénétration difficile, voire impossible. La première et la plus fréquente: tu n'es pas véritablement excitée sexuellement. Avant de penser à la pénétration, il faut que tu aies atteint un certain degré d'excitation. Si tu t'aperçois que tu n'es pas lubrifiée (pas mouillée), ne t'étonne pas que ton vagin ne s'ouvre pas. Prends ton temps et demande à ton ami de prendre aussi le sien: après tout, vous n'êtes, ni l'un ni l'autre, payés au casseau!

Autre cause relativement fréquente de difficulté à la pénétration: tu es trop tendue, ce qui cause une contraction involontaire des muscles de l'entrée de ton vagin. C'est un peu comme si tu fermais, involontairement bien sûr, la porte à double tour. Dans ce cas, il te faudra apprendre à te détendre. Pour te sécuriser, tu peux vérifier avec ton doigt, quelques moments avant la pénétration, le niveau de décontraction de l'entrée de ton vagin. Si tu perçois une résistance, vous êtes mieux de remettre ça à un peu plus tard... ou à une autre fois.

Troisième et dernière raison, beaucoup plus rare celle-ci: ton hymen (membrane qui recouvre partiellement l'entrée du vagin) offre une trop grande résistance. Si tu penses que c'est ce qui t'arrives, alors consulte un médecin. Il se peut qu'on doive t'enlever ton hymen de façon chirurgicale. Mais ne t'en fais pas: il s'agit d'une bien petite intervention.

- **Comme je n'ai pas d'expérience, j'ai peur d'être maladroite et de faire une folle de moi. Dira-t-il que je suis une P.D. (pas déniaisée)?**

Si jamais il dit ça, dépêche-toi de changer de *chum*. Ce gars-là est un «twit» de la pire espèce et tu n'as pas de temps à perdre avec ce genre d'épais. Toutefois, dans la réalité, c'est plutôt rare qu'un gars se montre aussi stupide.

C'est certain que tu seras un peu maladroite. Faire l'amour c'est comme le reste: ça s'apprend avec le temps et l'expérience. Mais il n'y a pas de technique pour apprendre à être une bonne amante. Il faut y aller avec ce qu'on est et ce qu'on ressent. Et plus on a d'expérience, plus on se sent à l'aise avec tout ça, c'est normal. Il faut donc te donner une chance.

Aussi, n'oublie pas qu'il est fort possible qu'il se sente encore plus maladroit que toi. En effet, beaucoup de gars se mettent toute la responsabilité sur les épaules: si la relation sexuelle n'est pas un succès complet, ce sera leur faute!

• Outre la pénétration, y a-t-il d'autres façons de faire l'amour?

Oui, il y a bien d'autres façons de faire l'amour. Tu sais, faire l'amour, ce n'est pas uniquement avoir une pénétration. Celle-ci fait partie de la relation sexuelle mais ne peut être considérée comme TOUTE la relation sexuelle. On peut faire l'amour avec une pénétration mais aussi sans pénétration.

Se caresser, s'embrasser, toucher le sexe de l'autre, l'embrasser et vice versa, frotter son corps sur celui de l'autre, sentir sa chaleur, son désir, se dire des mots doux, des mots de passion, c'est aussi faire l'amour. Et ça peut aussi nous amener au plaisir et à la satisfaction. Limiter la relation sexuelle à la pénétration, c'est la réduire. Et j'irais même plus loin: ce n'est plus faire l'amour.

• Devrais-je en parler à mes parents, soit avant, soit après?

L'idéal serait, bien sûr, que tu en parles à tes parents. Mais cela dépend beaucoup de la relation que tu entretiens avec eux. Si tu te sens à l'aise avec eux pour parler de sexualité, si tu as confiance en leur jugement, alors n'hésite pas: ils t'aiment et seront sûrement les meilleurs conseillers que tu puisses avoir.

Si la relation est tendue, c'est une autre histoire. Si vous avez de la difficulté à vous voir en portrait, si vos discussions finissent plus souvent qu'autrement en engueulades, c'est évident que même si je te disais de parler de tes projets intimes à tes parents, tu ne le ferais pas. Par contre, je te suggère quand même d'en parler à un adulte. Il doit bien y en avoir un dans ton entourage (professeur, ami de la famille, sœur ou frère plus âgés) avec qui tu te sens bien. Ceci pour la simple raison qu'avoir l'avis de quelqu'un qui a un peu plus d'expérience que toi peut t'aider à vivre cette étape de façon plus sereine.

Je ne sais pas comment toi tu vivras ta première fois. Bien sûr, je te souhaite le meilleur. Mais même si ce n'était pas ça qui arrivait, dis-toi bien qu'il s'agit seulement du début de ta vie sexuelle adulte. Tu auras toutes les chances de te reprendre. Et dans le fond, est-ce que ce n'est pas ça qui compte vraiment?

Ces maladies pas comme les autres

Je sais, tu ne veux plus en entendre parler! Rien que d'entendre le mot provoque chez toi une montée de fièvre. Remarque, à moi aussi, cela me fait à peu près le même effet. Mais, qu'est-ce que tu veux, on n'a pas vraiment le choix d'aborder ou non le sujet. Les MTS existent (voilà j'ai lâché le mot), font des ravages, il faut donc s'en occuper.

• MTS, qu'est-ce que ça veut dire?

Ces trois lettres signifient Maladies Transmissibles Sexuellement. C'est-à-dire que ce sont des maladies que l'on peut attraper lors de relations sexuelles. Toutefois, certaines d'entre elles, par exemple le SIDA ou l'hépatite B, se propagent d'autres façons. C'est pour cela qu'on dit «transmissibles» plutôt que «transmises».

• J'entends souvent parler de SIDA, peux-tu me dire de quoi il s'agit au juste?

On dit SIDA pour Syndrome d'Immuno-Déficience Acquise. Si tu veux, on va regarder ensemble ce que chacun de ces mots signifie. Un syndrome c'est un ensemble de symptômes qui caractérisent une maladie. Normalement, notre système immunitaire nous protège contre toute une série d'infections qui peuvent nous attaquer. Quand ce système ne fonctionne plus bien, qu'on se retrouve sans défense devant tous ces microbes et virus, on parle alors «d'immuno-déficience». Quant au terme «acquis», il veut dire que cette immuno-déficience n'est pas naturelle, qu'elle n'a pas toujours été là. Donc, le Syndrome d'Immuno-Déficience Acquise, c'est un ensemble de symptômes (qui vont des ulcères dans la bouche, au cancer de la peau en passant par les pneumonies à répétition) causés par une déficience du système immunitaire. Et cette déficience est acquise au contact d'un virus nommé HIV. Jusqu'à maintenant, on n'a encore découvert aucun moyen de guérir le SIDA.

Heureusement, le SIDA est un virus relativement fragile. Il ne peut vivre en dehors du corps humain et on en connaît les modes de transmission. Ceux-ci sont:

- **le contact du sperme avec le sang**
- **le contact sang à sang**

Les comportements dangereux sont donc essentiellement:

- **la pénétration anale ou vaginale sans condom**
- **le partage d'aiguilles (toxicomanes)**

• Tu ne parles pas de l'amour oral. Est-ce qu'on peut attraper le SIDA de cette façon?

Jusqu'à maintenant, on n'a pas vraiment trouvé de cas de SIDA relié directement aux relations oro-génitales (c'est le mot scientifique pour désigner ce type d'activité sexuelle). Ceci serait dû à la salive qui agirait comme un antiseptique naturel et qui tuerait le virus. Toutefois, je ne peux t'assurer sans l'ombre d'un doute qu'on ne peut pas attraper le SIDA de cette façon.

Par contre, au niveau du risque, on pourrait comparer celui-ci au fait de traverser la rue à une intersection alors que la lumière est verte. Il existe toujours un danger de se faire heurter par une automobile mais celui-ci est minime par rapport au danger qu'il y a à vouloir traverser une autoroute alors que les autos filent à toute allure!

• Comment savoir si j'ai le SIDA?

Si tu penses avoir eu des comportements à risque, tu peux demander à ton médecin de te faire passer le test du SIDA. Toutefois, pour qu'il y ait trace du virus dans le sang, cela peut prendre jusqu'à un an à partir du ou des contacts risqués. Donc, inutile de te précipiter à la clinique. Revenons au test. Celui-ci s'effectue à partir d'une prise de sang. Mais comme tu devras patienter environ deux semaines avant d'avoir les résultats, je te suggère de ne pas te présenter à ce test sur un coup de tête. Prends le temps de te préparer psychologiquement. Savoir qu'il y a une possiblité, si petite soit-elle, qu'on soit atteinte par cette terrible maladie, c'est très stressant. Aussi, si tu peux mettre ta meilleure amie dans la confidence, cela t'aidera à passer au travers cette période.

Tu es décidée à subir ce test? Vas-y. Tu en auras le cœur net.

• Mis à part le SIDA, de quelles autres MTS dois-je me méfier plus particulièrement?

Bien que la «grande famille» des MTS compte une quarantaine de membres, celles dont on parle le plus souvent à ton âge sont:

- l'herpès
- les condylomes
- la syphilis
- les poux du pubis
- la chlamydia
- la gonhorrée
- l'hépatite B

• **Si je suis atteinte d'une de ces MTS, comment puis-je le savoir?**

Les MTS sont parfois bien hypocrites. Parfois il y a des symptômes, parfois il n'y en a pas. De plus, comme ces derniers ont tendance à disparaître dans les trois semaines ou moins suivant leur apparition, on peut être porteuse (donc contagieuse) d'une de ces charmantes infections sans s'en rendre compte. Mais voici tout de même les symptômes que tu dois surveiller attentivement.

- **l'herpès:** petites lésions (type ulcères, cloches d'eau) accompagnées d'une sensation de brûlure. Si les lésions herpétiques sont situées dans le vagin, il se peut que tu ne ressentes rien.
- **la chlamydia:** pertes vaginales anormales (couleur et odeur), picottement. Sensation de brûlure lors des relations sexuelles. Il s'agit cependant le plus souvent d'une maladie qui est asymptômatique (sans symptômes).
- **les condylomes:** petites verrues blanchâtres. Peuvent être situés sur la vulve, la région anale et sur le col de l'utérus. Dans ce dernier cas, tu ne t'en apercevras pas.
- **la gonhorrée:** douleurs au bas-ventre, sécrétions vaginales anormales, brûlements en urinant, saignements et douleurs lors des relations sexuelles. Tu peux cependant n'avoir aucun symptôme.

- **la syphilis:** lésion indolore (sans douleur) qu'on appelle chancre sur la vulve, les lèvres, ou dans la gorge. Si non traitée, le chancre disparaît de lui-même environ une ou deux semaines après son apparition. La maladie entre alors dans sa phase secondaire. Elle réapparaîtra sous forme plus sévère (éruptions, fièvre, sensation de malaise générale) de six semaines à six mois plus tard. Autrefois, on pouvait mourir des suites de la syphilis. Aujourd'hui, cette maladie est relativement rare et on la traite très bien.
- **l'hépatite B:** fatigue, vomissements, maux de gorge, fièvre. Ces symptômes prennent parfois bien du temps avant de se montrer le bout du nez. Il est à remarquer que l'hépatite B est la seule maladie pour laquelle on ait un vaccin.
- **les poux du pubis:** grattements et picottements au niveau des poils du pubis.

• Si j'ai un ou plusieurs de ces symptômes, qu'est-ce que je dois faire?

Dans tous les cas, tu consultes un médecin. N'attends pas. Comme je te l'ai dit, les symptômes de la plupart de ces maladies finissent par disparaître d'eux-mêmes. Ce qui ne veut pas dire que tu sois guérie. Au contraire, la maladie continue souvent ses ravages dans ton corps, ce qui peut entraîner des conséquences graves sur ta santé.

Par exemple, une des MTS dont tu dois le plus te méfier c'est la chlamydia. Certains chercheurs estiment qu'une fille sur deux, née après 1970, en sera un jour atteinte. Avec des antibiotiques, elle se traite très bien. Mais non traitée, elle peut amener des complications qui te rendront infertile. Comme tu veux sans doute avoir des enfants plus tard, il est donc important que tu t'en occupes.

Évite aussi de faire ton propre diagnostic. Les symptômes que je te décris peuvent être associés à d'autres maladies (qui n'ont rien à voir avec une MTS). Attends donc de voir ce que le médecin te dira.

Tu te sens probablement gênée d'aller consulter un médecin pour ça. Si tu as déjà un médecin en qui tu as confiance, il n'y aura pas de problème. Sinon, l'infirmière de l'école peut te référer à un médecin qui saura te recevoir sans te juger. Les CLSC sont aussi de bonnes ressources.

S'il s'agit bel et bien d'une MTS, tu devras avertir ton ou tes partenaires des derniers mois. Là encore, ce n'est pas très drôle, mais tu n'as pas vraiment le choix: c'est une question de santé et de responsabilité. Après tout, c'est peut-être lui qui t'a passé cette maladie. Et il en est peut-être porteur, sans le savoir, depuis plusieurs mois. Pour éviter qu'il n'infecte d'autres filles ou qu'il ne te réinfecte, il faut que tu lui parles et qu'il se fasse soigner.

• Comment traite-t-on les MTS?

Le traitement dépendra, bien sûr, de la maladie. À chaque maladie, son traitement particulier.

- l'herpès: comprimés et (ou) onguent.
- la chlamydia: antibiotiques.
- les condylômes: produits chimiques appliqués sur les lésions.
- la gonhorrée: antiobiotiques.
- la syphilis: antiobiotiques.
- l'hépatite B: comprimés et très long repos.
- les poux du pubis: shampooing spécialement conçu à cet effet.

Évidemment, durant tout traitement contre une MTS, on ne doit pas avoir de relations sexuelles, ceci afin d'éviter les risques de transmission.

• J'ai une cousine qui a fait une infection à champignons. Tu n'en parles pas. Est-ce qu'il s'agit d'une MTS?

Bien que les infections «à champignons» qu'on nomme aussi «monilias» puissent être transmissibles sexuellement, on ne les considère pas comme des MTS au sens strict du mot. Elles sont plutôt causées par le port de jeans trop serrés, ou encore celui de sous-vêtements en nylon ou de bas culottes. L'emploi de désodorisants vaginaux ainsi que celui de tampons ou serviettes sanitaires désodorisantes peuvent aussi être à la source de ces petites infections. À peu près toutes les femmes ont au moins une ou deux de ces infections durant leur vie. Ce n'est pas très agréable mais il ne faut pas non plus en faire un drame.

Vois-tu, le vagin c'est un mileu vivant. On y retrouve donc une flore bactérienne normale.

L'équilibre de celle-ci est cependant assez fragile. Si cette flore devient trop abondante, il y aura alors infection. Tu ressentiras des picottements, tes sécrétions vaginales prendront une drôle de couleur et d'odeur, la pénétration sera douloureuse.

Si tu as ces symptômes, n'essaie pas de te traiter toi-même. Va voir le médecin. S'il s'agit de ce type d'infection, il te prescrira le médicament approprié. En général, il s'agit d'ovules à insérer dans le vagin durant quelques jours. Durant le traitement, comme pour les MTS, tu devras t'abstenir de toute relation sexuelle.

• Je suis une fille propre et mon chum est un gars propre. Pourquoi est-ce que je m'occuperais des MTS?

Tout simplement parce que les MTS n'ont rien à voir avec la propreté. On peut se laver 10 fois par jour et être quand même atteint d'une gonhorrée ou de la chlamydia!

• Est-ce vrai qu'on peut attraper des maladies sur un bol de toilette?

Mis à part les poux du pubis, et c'est extrêmement rare que ça arrive, on n'attrape ni le SIDA ni aucune autre MTS de cette façon. Il s'agit malheureusement d'un mythe qui a la vie dure.

• Si mon chum me transmet une MTS, est-ce que ça veut dire qu'il a été infidèle?

Non, pas nécessairement. Comme je te l'ai dit, on peut être porteur d'une maladie sans le savoir, ceci durant de longs mois et même des années. Donc, il est possible qu'il ait contracté cette maladie bien avant de te connaître. Remarque, s'il n'y a pas de preuves qu'il a été infidèle, d'un autre côté, il n'y en a pas non plus pour te prouver qu'il ne l'a pas été. Ce qui entre en jeu alors, c'est la qualité de votre relation et la profondeur de vos sentiments l'un envers l'autre.

• Comment prévenir les MTS?

Si toi et ton copain n'avez jamais eu de relations sexuelles avec qui que ce soit, vous n'avez pas à vous soucier des MTS. Dans tous les autres cas, l'emploi du condom demeure le meilleur moyen de protection.

J'allais oublier! Il y a, bien sûr, l'abstinence sexuelle qui demeure et demeurera toujours la méthode la plus sûre de prévention des MTS. Pas de relations, pas d'infections! Mais comme ce n'est pas nécessairement celle que tu privilégieras, il faut rester réaliste et prévoir l'utilisation du condom.

La masturbation

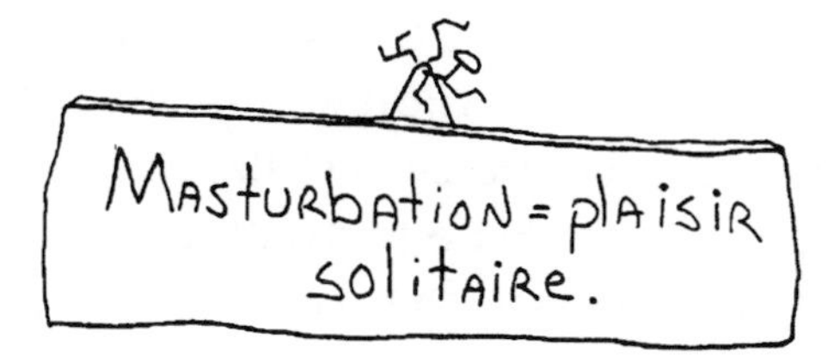

Quel sujet délicat que celui-là! Parler de sexualité, ce n'est pas toujours évident. Parler de masturbation, ça l'est encore moins, crois-moi! Pourtant, comme tu le verras, il s'agit d'une activité tout à fait normale qui regarde pas mal plus de filles qu'on pourrait le penser.

• C'est quoi au juste la masturbation?

D'abord, il faut établir un point important: la masturbation c'est quelque chose qu'on se fait à soi-même. On ne peut pas masturber quelqu'un d'autre. Ainsi, si tu touches les organes génitaux de ton *chum,* tu ne le masturbes pas, tu le caresses. Ceci établi, le but de la masturbation est de se donner une satisfaction sexuelle. Là encore, si tu touches ta vulve parce que tu as remarqué un petit bouton suspect, tu ne te masturbes pas. Par contre, le même toucher, fait avec l'idée d'obtenir un plaisir, c'est de la masturbation. Enfin, voici ce que

dit le cinéaste américain Woody Allen de la masturbation: «Se masturber, après tout, c'est faire l'amour à quelqu'un qu'on aime»... ou qu'on est censé aimer (ça, c'est moi qui le rajoute).

• Est-ce normal de se masturber?

Partant du fait que ton corps t'appartient, il n'y a rien d'anormal à se masturber. Remarque, il n'y a rien d'anormal non plus à ne pas le faire.

• Y a-t-il des dangers à se masturber?

On a longtemps pensé que la masturbation pouvait rendre sourd, idiot et stérile. Aujourd'hui, on sait très bien qu'il n'en est rien. Toutefois, comme dans toute autre activité sexuelle, un minimum d'hygiène est de rigueur: donc, mains sales et objets (style vibrateur) non recouverts d'un condom sont à proscrire.

• À quoi ça sert de se masturber?

Dans un premier temps, la masturbation peut servir à mieux se connaître, à découvrir son corps. Mais cela peut aussi tout simplement servir à te donner du plaisir (non, ce n'est pas défendu) ou encore à faire baisser une tension sexuelle trop forte. Entre toi et moi, c'est mieux de se masturber que de se jeter sur le premier venu parce qu'on a trop le goût de faire l'amour!

• Est-ce que toutes les filles se masturbent?

Si à peu près tous les gars se masturbent durant leur adolescence, il n'en va pas de même du côté des filles. Les statistiques nous montrent qu'une fille sur deux a des habitudes d'auto-érotisme (autre nom donné à la masturbation).

Pourquoi une telle différence? Est-ce à dire qu'il est plus normal de se masturber lorsqu'on est un gars? Je ne pense pas qu'il faut voir la chose sous cet angle. Si les gars se masturbent plus c'est simplement que leur développement sexuel se fait différemment de nous. Comme on l'a vu, celui-ci est régi par des hormones qu'on appelle androgènes. Les androgènes sont responsables du désir et des capacités sexuelles de l'homme. Comme à l'adolescence, il sécrète une grande quantité de ces hormones, ses pulsions sexuelles sont très fortes, d'où le besoin de se masturber.

En ce qui nous concerne, notre développement sexuel est plus redevable de notre apprentissage. L'œstrogène et la progestérone, qui sont les hormones féminines, n'ont pas grand-chose à voir avec le désir sexuel. Pour accéder au plaisir, nous devons apprendre à découvrir notre corps. L'auto-érotisme est un moyen très efficace d'y arriver. Mais l'idée de toucher nos organes génitaux ne nous vient pas nécessairement automatiquement. Et comme le sujet est tabou, il nous arrive souvent de découvrir cette activité sexuelle un peu par hasard et un peu aussi sur le tard. Car ce que nous révèlent aussi les recherches, c'est qu'à l'âge adulte, plus de 80 % des femmes se sont déjà masturbées. Comme quoi il y a bien des choses qui peuvent se modifier avec le temps!

• Tu dis que la masturbation est un très bon moyen de connaître son corps. Si je ne me suis jamais masturbée, me conseilles-tu de le faire bientôt?

Tu n'as pas à te forcer à te masturber si tu n'en as pas envie. Certaines filles en ressentent le besoin, d'autres pas. Ce n'est pas plus compliqué que ça. Et si un jour tu as le goût de te toucher, tu le feras. Bien sûr, l'auto-érotisme peut t'aider à mieux te connaître. Mais écoute d'abord ce que tu ressens. Et ne t'oblige jamais à faire des choses simplement parce que tu penses qu'il faut que tu les fasses. Cela s'applique à la masturbation mais aussi à toute autre activité sexuelle.

• Y a-t-il de meilleures méthodes que d'autres pour se masturber?

Chaque fille a sa propre façon de faire, ses préférences. Certaines vont directement aux organes génitaux, d'autres caressent d'abord leur corps avant de passer aux seins et aux parties plus intimes. Aussi, il y a des filles qui touchent uniquement leur clitoris alors que d'autres entrent un ou deux doigts dans leur vagin. Enfin, il y a celles qui se servent du jet de la douche téléphone ou d'objets. Dans ce dernier cas, je te recommande de faire preuve de beaucoup de prudence. Évite d'utiliser tout objet coupant ou qui serait susceptible de te blesser. Et n'oublie pas de le recouvrir d'un condom.

- **C'est bien joli la masturbation, mais si j'atteins l'orgasme de cette façon, n'y a-t-il pas un danger que je ne puisse l'obtenir avec un gars?**

Tu n'as pas à t'inquiéter pour ta vie sexuelle future. Ce n'est pas parce que tu te masturbes que tu ne pourras avoir de jouissance avec un partenaire. Toutefois, je ne te recommande pas l'utilisation du vibrateur. En effet, on s'est aperçu que les femmes qui avaient obtenu leurs premiers orgasmes en utilisant cet appareil pouvaient connaître certaines difficultés lorsque venait le temps de s'abandonner aux relations sexuelles avec partenaire. Car, vois-tu, les sensations produites par une pénétration avec vibrateur sont bien différentes et beaucoup plus fortes que celles ressenties lors d'une pénétration disons... plus conventionnelle, ou d'une stimulation manuelle ou buccale. Enfin, mieux tu te connaîtras, plus il te sera facile de dire à ton *chum* ce que tu préfères.

L'homosexualité

Tout comme le thème précédent, l'homosexualité fait partie des sujets plus délicats à aborder. Bien sûr, depuis quelques années on en parle plus, les personnes homosexuelles s'affirment davantage. Toutefois, cela ne signifie pas que la discrimation et l'intolérance n'existent plus.

• C'est quoi l'homosexualité?

L'homosexualité, c'est une orientation sexuelle. Concrètement, cela signifie que les personnes homosexuelles sont «orientées» sexuellement vers les personnes de leur sexe. Tandis que les personnes hétérosexuelles sont «orientées» sexuellement vers les personnes de l'autre sexe. On pourrait comparer le fait d'être hétérosexuel ou homosexuel au fait d'être droitier ou gaucher. Il y a toujours eu plus de droitiers que de gauchers, comme il y a plus d'hétérosexuels que d'homosexuels. Toutefois, dans toutes les sociétés et de tout temps, on a toujours eu environ 10 % des personnes qui étaient d'orientation homosexuelle.

• Est-ce qu'on naît homosexuel?

Certains scientifiques disent que l'homosexualité dépend de l'éducation; d'autres affirment au contraire qu'on naît avec cette orientation. Quant aux principaux intéressés, gays et lesbiennes, la plupart disent être nés homosexuels. Qui dit vrai? On ne le sait pas vraiment. Toutefois, c'est souvent à l'adolescence qu'on prend conscience de son homosexualité.

• Est-ce qu'il y a toujours eu des homosexuels?

L'homosexualité n'est pas une invention qui date des vingt dernières années. Alors que la majorité des hommes et des femmes sont hétérosexuels, c'est-à-dire qu'ils sont attirés sexuellement par les personnes de l'autre sexe, il y a toujours eu, de tout temps et dans toutes les sociétés, une minorité de personnes orientées vers leur propre sexe. Ce sont ces personnes qu'on nomme homosexuelles: gay et lesbienne sont aussi des termes fréquemment utilisés pour les désigner.

• J'ai l'impression qu'il y en a plus aujourd'hui qu'avant, est-ce que je me trompe?

Oui, tu te trompes. De tout temps et dans toutes les sociétés, il y a toujours eu entre 5 % et 10 % de personnes homosexuelles. Par contre, souvent dans les grandes villes, on dénombre beaucoup plus d'homosexuels. À San Franscisco, par exemple, ils et elles comptent pour 30 % de la population. Non, ce n'est pas qu'il naît plus d'homosexuels en ville qu'ailleurs. Cependant, comme il est plus facile d'y vivre dans un relatif anonymat, c'est-à-dire qu'on ne sait pas nécessairement qui est notre voisin ou ce qu'il fait, il n'est pas surprenant qu'on y retrouve plus d'homosexuels. Dans un petit village, la personne qui n'est pas tout à fait comme les autres est fréquemment montrée du doigt. Ce n'est pas que les gens des villages soient différents de ceux des villes, mais lorsque tout le monde se connaît, il est presque impossible d'éviter les potinages et les ragots. Les villes offrent aussi aux gays et lesbiennes un milieu de vie plus propice aux rencontres.

• Est-ce que ça se guérit?

Comme l'homosexualité n'est pas une maladie, on n'a pas à se demander si ça se guérit. Le gars ou la fille attiré par les gens de son propre sexe n'est ni un pervers ni quelqu'un de déséquilibré mentalement. Bien sûr, certains homosexuels comme certains hétérosexuels ont des problèmes psychologiques. Mais cela n'a rien à voir avec leur préférence. Comme nous l'avons vu un peu plus haut, l'homosexualité c'est une orientation, un peu comme être gaucher ou droitier. Autrefois, on obligeait les gauchers à apprendre à écrire de la main droite. Tout le monde devait se conformer au même moule. Aujourd'hui, on trouverait sans doute ridicule de vouloir faire d'un gaucher un droitier. C'est un peu la même chose avec les homosexuels.

• Oui, mais moi je trouve qu'ils ont pas l'air de vrais hommes et de vraies femmes. Qu'est-ce qui les empêche d'avoir l'air de tout le monde?

L'image qu'on a des homosexuels c'est souvent celle du gars efféminé au poignet cassé ou encore de la fille très masculine à bottes Kodiak, jean et chemise carrelée. La réalité est tout autre. C'est certain, la «butch» et la «grande folle» sont des personnages qui existent. Comme ils sont très voyants, on les remarque. Mais tous les homosexuels ne correspondent pas à ces stéréotypes. Loin de là! Il y a des gars très virils et des filles très féminines qui sont gays et lesbiennes. Évidemment, ceux-là on ne les voit pas puisqu'ils ressemblent à tout le monde. Tu vois, être homosexuel, ça ne signifie absolument pas qu'on ne soit pas un vrai gars ou une vraie fille. On est attiré par les gens de son sexe, on ne les renie pas!

• Les homosexuels sont-il dangereux?

Pour certains, les personnes homosexuelles sont plus susceptibles que d'autres d'abuser des enfants. Là encore, il s'agit d'une fausse croyance. Le fait de chercher à avoir des rapports sexuels avec des enfants s'appelle la pédophilie. Toutes les statistiques existantes à ce sujet tendent à démontrer qu'il y a proportionnellement autant de pédophiles hétérosexuels qu'homosexuels.

Remarque, c'est un peu normal que l'homosexualité inspire certaines craintes. Ceci est surtout dû, je pense, à l'ignorance. Tu sais, ce qu'on ne connaît pas fait toujours peur.

• **Si une fille me fait des avances, comment dois-je réagir?**

Comme tu le ferais avec un gars qui ne t'intéresse pas. Tu lui dis tout simplement que ça ne te dit rien, que tu n'es pas attirée par les filles. En général, cela devrait suffire à refroidir ses ardeurs. Par contre, si tu es troublée, si toi aussi tu sens de l'attirance, c'est une autre histoire.

• Si j'ai une expérience homosexuelle, est-ce que ça veut dire que je suis homosexuelle?

Être homosexuel, c'est une chose. Avoir un comportement homosexuel, c'est autre chose. Ce que je veux dire? Je m'explique. À l'adolescence, il y a un bon nombre de gars et de filles qui ont des expériences homosexuelles. Certaines recherches avancent même le chiffre de 50 % pour les garçons. C'est certain que tous ces gars ne sont pas homosexuels. De la même façon, bien des filles ont ce qu'on pourrait appeler des «amitiés particulières». Celles-ci sont empreintes de sensualité et parfois même de sexualité. Mais dis-toi bien que l'adolescence, c'est l'âge des expériences. Et ce n'est pas parce qu'on essaye une chose qu'on l'adopte.

• Si jamais je m'aperçois que je suis homosexuelle, comment puis-je arriver à l'accepter?

S'apercevoir qu'on est homosexuel ce n'est pas facile. Le combat et la négation sont les premières réactions de ceux et celles qui font cette découverte sur eux-mêmes. Ils ne veulent pas être homosexuels! Ils peuvent ressentir de la honte et de la gêne. La peur d'être rejeté devient aussi très forte. Quand on constate tous les préjugés dont les personnes homosexuelles sont l'objet, on ne peut blâmer quelqu'un qui s'aperçoit de son homosexualité d'avoir ce type de réaction. Cela peut prendre du temps, beaucoup de temps, avant de s'accepter tel qu'on est. Certains peuvent prendre des années et des années avant de se sentir bien avec ce qu'ils sont. Mais pour arriver à cette acceptation, il est essentiel de cesser de nier la réalité.

• Bon, admettons que je suis homosexuelle et que je l'accepte. Comment faire pour que les autres l'acceptent aussi?

L'étape suivante, lorsqu'on a accepté son homosexualité, c'est de l'apprendre à ses parents et amis. Pour beaucoup d'homosexuels, il s'agit d'une chose extrêmement difficile à faire. La crainte de la réaction des autres est très grande et il faut le dire, souvent justifiée.

En ce qui concerne tes parents, ne leur demande pas d'accepter automatiquement ce qui a pu te prendre des années à accepter. Tu es mieux placée que quiconque pour savoir à quel point ce n'est pas facile d'accepter d'être homosexuelle. C'est une idée qui doit faire son chemin tout doucement. Il n'y a pas un père ni une mère qui souhaite que son enfant soit homosexuel. Même sans aucun préjugé, un parent qui apprend que son enfant est homosexuel, pense tout de suite aux conséquences, aux sarcasmes et à la discrimination dont son enfant pourrait être la victime. Évidemment, si tes parents sont du genre à penser que les homosexuels sont des malades, la réaction pourra être très négative. Pourtant, même si c'est ce qui se passe, dans la plupart des cas, le temps finira par arranger les choses.

Mais ne t'en fais pas trop. Quoi que tu sois, tu es leur enfant et l'amour qu'ils ont pour toi finira par prendre le dessus. Comme je te le dis, cela peut prendre du temps. Ne perds donc pas patience ni confiance.

Quant aux amis(es), montre-toi prudente. Choisis ceux et celles à qui tu révéleras ton orientation. Rien ne t'oblige à t'exposer inutilement aux préjugés des autres. Il se peut que, même en faisant preuve d'une grande prudence, certains ou certaines de tes amis(es) s'éloignent de toi. C'est injuste et malheureux mais c'est comme ça. Par contre, les amis(es) que tu garderas seront de vrais(es) amis(es). Cela ne veut pas dire qu'ils te sauteront au cou de joie en apprenant cette nouvelle. Il se peut qu'ils aient une réaction d'étonnement, voire d'incrédulité. Mais l'amitié l'emportera sur le reste.

N'oublie pas que tes amis(es) t'aiment à cause de tout ce que tu es. Ton homosexualité ne change rien à ta personnalité. Malheureusement, encore trop de gens, lorsqu'ils apprennent qu'une personne est homosexuelle, ne voient plus que cela chez elle. Ils oublient l'humain, celui ou celle qui aime, qui a des joies et des peines, des rêves réalisables ou non, des ambitions, des déceptions aussi. Et c'est cela que tu dois faire saisir à tes amis(es).

Et si tu tombais enceinte...

Et si tu tombais enceinte? Y as-tu déjà pensé? Sûrement. Toutes les filles y pensent un jour ou l'autre, même celles qui essaient de se faire croire qu'une telle chose ne peut leur arriver à elles!

• Est-ce que je peux tomber enceinte la première fois?

Il n'y a aucun doute là-dessus: dès la première relation sexuelle, tu risques une grossesse. Chaque année, 10 000 adolescentes se retrouvent enceintes au Québec. Pour plusieurs d'entre elles, il s'agissait d'une première expérience. Ni «nounounes», ni ignorantes de la contraception, elles ont pris une chance ou, emportées par la spontanéité du moment, elles ont oublié toute prudence ou encore, malchanceuses, le condom a éclaté au mauvais moment. Bref, elles se retrouvent le lendemain matin avec une peur qui, malheureusement, s'avère parfois justifiée.

• J'ai entendu dire qu'en me lavant ou en prenant une douche vaginale tout de suite après l'amour, je ne pouvais pas tomber enceinte, est-ce vrai?

Malheureusement non. Les spermatozoïdes, je te l'ai déjà expliqué, sont de petites bestioles très vives. Aussitôt libérés dans le vagin, ils se lancent dans une course folle vers l'ovule. Aussi rapide soit ta réaction, tu seras toujours en retard. Donc, tu es aussi bien de goûter le moment que tu vis.

• Est-ce que cela signifie qu'il n'y a rien à faire?

Non, pas nécessairement. Avant de passer au test de grossesse, il te reste un moyen de t'en sortir sans trop de dommages. Ce moyen s'appelle «la pilule du lendemain». On parle de «la» pilule, mais concrètement il s'agit de trois comprimés. Pour l'obtenir, tu dois rencontrer un médecin qui te la prescrira. À partir du moment où tu as eu cette relation sexuelle risquée, tu as 72 heures pour avoir recours à ce moyen contraceptif. Mais ne tarde pas, le plus tôt sera le mieux.

Tu ne sais peut-être pas quel médecin consulter. Il se peut que tu te sentes gênée aussi d'aller voir ton médecin habituel. Que va-t-il penser de toi? Avertira-t-il tes parents? Même s'il y a peu de risques qu'il te juge, je comprends tes hésitations. Donc, tu peux te rendre dans n'importe quelle clinique médicale ou CLSC. L'infirmière de l'école peut aussi te diriger vers la ressource appropriée.

Quant à ta crainte de voir tes parents être mis au courant de ta démarche, soit rassurée. Au Canada, les consultations médicales sont confidentielles à partir de l'âge de 14 ans. Conséquence: aucun médecin ou autre membre du corps médical n'a le droit légal d'appeler tes parents pour leur annoncer la nouvelle!

• Quel est l'effet de la pilule du lendemain?

Ces comprimés auront pour effet de déclencher tes menstruations. Comme la prise de la pilule du lendemain peut causer des vomissements et des nausées, tu comprendras qu'il ne s'agit pas d'un mode de contraception à utiliser régulièrement.

• Mais s'il y a plus de 72 heures que j'ai eu cette relation sexuelle, qu'est-ce que je fais?

Il est trop tard pour la pilule du lendemain. Tu n'as donc pas le choix, tu dois attendre la venue de tes menstruations. Si elles arrivent, tant mieux pour toi. Tu seras quitte pour une bonne frousse et quelques jours ou quelques semaines d'angoisse. Après sept jours de retard, tu pourras aller passer un test de grossesse.

• En quoi consiste ce test?

Il s'agit d'un examen tout simple qui te permettra de savoir très rapidement si tu es enceinte ou non. Il s'agit pour toi de recueillir ta première urine du matin dans un petit pot de plastique puis de te rendre à la pharmacie. Si tu ne peux le faire dans l'heure qui suit, il est recommandé de garder ton petit pot au réfrigérateur. Rendue à la pharmacie, tu n'as qu'à remettre ta «précieuse récolte» au comptoir des prescriptions. Généralement, on pourra te donner les résultats dans la demi-heure ou l'heure qui suit. Ce test coûte généralement entre 10 $ et 15 $.

Toutefois, si tu n'as pas d'argent, certains C.L.S.C. ou cliniques spécialisées offrent cette analyse gratuitement.

Si le test est négatif, tu pousses un grand ouf! et tu penses sérieusement au moyen de contraception que tu pourrais utiliser. Évidemment, si le test est positif, c'est une autre histoire!

• Que dois-je faire: garder l'enfant ou me faire avorter?

À partir de ce moment, tu auras une décision à prendre: mener ta grossesse à terme ou te faire avorter. Quoi qu'en disent tes parents, tes amies et ton *chum*, en fin de compte, ce choix t'appartient. Personne ne peut le faire à ta place.

Bien que les statistiques nous indiquent que la majorité des adolescentes enceintes décident de se faire avorter, cela ne signifie nullement qu'il s'agisse d'une décision facile à prendre. Rationnellement, tu peux savoir qu'à 14 ou 15 ans, avoir un enfant, cela n'a pas de sens. Mais intérieurement, tu peux te sentir déchirée.

• Un avortement, ça se passe comment?

Même si certaines personnes «bien pensantes» insinuent que les femmes se font avorter à la légère, aucune n'y va de gaieté de cœur. Il s'agit toujours d'une démarche difficile et intérieurement déchirante.

Tu as peut-être déjà entendu parler d'histoires d'horreurs où, par exemple, une fille succombait des suites d'un avortement raté. Il faut te dire qu'il y a à peine une vingtaine d'années, il était pratiquement impossible de se faire avorter de façon légale au Canada. Ce qui laissait la place libre aux charlatans de toutes sortes. Et ces personnes se souciaient beaucoup plus de leur profit que de la santé de leurs clientes.

Heureusement, aujourd'hui, de telles situations ne se produisent plus. Pratiquées en milieu médical, ces interventions se déroulent dans un contexte très sécuritaire. En général, l'avortement, bien que n'étant pas une partie de plaisir, ne sera pas très douloureux. Il n'aura aucune conséquence sur ta santé future. De plus, dans la plupart des cas, on t'offrira un suivi psychologique. Ne le refuse pas trop vite, tu pourrais en avoir besoin plus que tu ne le penses.

Si tu choisis de te faire avorter, fais-le le plus rapidement possible. Tu sais, un avortement à deux mois de grossesse et un avortement à quatre mois de grossesse, ce n'est pas du tout la même chose. Plus tu attends, plus cela devient compliqué, tant médicalement que psychologiquement. Médicalement, parce que la technique utilisée n'est pas la même à 6 semaines de grossesse qu'à 18 semaines de grossesse. Et psychologiquement, parce que le temps passant, tu as vu ton corps se transformer, tu as même peut-être déjà senti le fœtus bouger. Et ce sera donc plus difficile de t'en détacher.

Ne va pas te faire avorter seule. Je sais, tu veux te montrer forte, mais il y a des moments dans la vie où on a besoin de soutien. Et le jour où l'on subit un avortement est l'un de ceux-là. Ton *chum* et (ou) un adulte avec qui tu te sens bien pourraient t'être d'une aide précieuse. Car tant physiquement qu'émotivement, tu te sentiras épuisée. Et tu auras besoin de te blottir contre une épaule chaleureuse. Ne te prive donc pas, par orgueil mal placé, de cet appui nécessaire.

Il est à noter que, à la suite de cette intervention, tu devras t'abstenir de relations sexuelles durant quelques semaines.

• Comment on se sent après un avortement?

Les filles qui viennent de se faire avorter ont souvent des sentiments partagés. Elles se sentent soulagées d'un fardeau mais tristes parce qu'un avortement n'est jamais un événement joyeux. Certaines filles deviendront même très déprimées. On retrouve cette réaction de dépression surtout chez les filles ayant des principes moraux et (ou) religieux assez stricts. Elles auront de la difficulté à se pardonner ce qu'elles considèrent être un peu beaucoup un crime.

• J'ai peur qu'en me faisant avorter, je ne puisse plus avoir d'autre enfant. Ai-je raison?

Cette crainte, bien que normale, n'est pas justifiée. Un avortement bien fait n'a aucune conséquence négative sur ta capacité de retomber enceinte plus tard au moment où tu auras vraiment le désir d'avoir un enfant.

• Si je décide de le garder, qu'est-ce qui arrive?

Première conséquence, ton corps se transformera. Les gens autour de toi sauront que tu es enceinte. Décideras-tu de continuer à aller à l'école comme si de rien n'était ou encore préféreras-tu faire un séjour dans une institution spécialisée dans l'accueil aux adolescentes enceintes? Dans un cas, tu auras l'impression d'être un peu un objet de curiosité; dans l'autre tu t'ennuieras de tes amis, de ton milieu de vie habituel.

Puis, tu vivras l'accouchement. Et tu prendras ton enfant dans tes bras. Tu ressentiras sans doute à ce moment-là un des «feelings» les plus spéciaux de ta vie. C'est beau un bébé naissant. Tes parents, tes amis, ton *chum* seront peut-être là pour s'émerveiller avec toi.

Toutefois, un bébé ce n'est pas une poupée. Tu ne peux pas le ranger quand tu es fatiguée. Il te prendra énormément d'énergie. Il faudra donc que tu apprennes à t'en occuper. Avec de la chance, tu auras de l'aide de tes proches. Mais il se peut aussi que tu te retrouves bien seule. Et ton *chum*, malgré toutes ses promesses, ne sera peut-être pas capable d'assumer ses responsabilités. Remarque, ce n'est pas ce que je te souhaite mais c'est ce qui se produit souvent.

• Comment mon chum peut-il m'aider?

Peut-être ne sais-tu pas qui est le père ou peut-être ne veux-tu rien savoir de lui. Mais il est tout aussi possible que le père soit ton *chum*. Dans ce cas, il est sûrement l'une des premières personnes, sinon la première que tu dois avertir. Il est aussi responsable que toi de ce qui arrive. Tu es donc en droit de t'attendre à ce qu'il t'aide.

Malheureusement, certains gars ont tendance à se défiler lorsque arrive un coup dur. Si ton *chum* appartient à cette catégorie, tu t'en apercevras assez vite. Je suis d'accord avec toi, ce ne sera pas facile à prendre. Toutefois, ce n'est pas une raison pour ne rien lui dire. Si ton *chum* est un gars correct, il va plutôt chercher à t'aider.

Attention! Son rôle ne sera pas de décider ce que tu dois faire mais plutôt de t'appuyer et t'épauler dans cette période difficile.

• Est-ce que je devrais en parler à mes parents?

Certaines filles réussissent à cacher leur grossesse à leurs parents durant plusieurs mois. C'est un choix que tu peux faire. Cependant, je ne te le recommande pas du tout. Même si tu as l'impression que tu n'as pas besoin d'eux, ils sont sans doute les mieux placés pour t'aider. Mais ils ne pourront le faire s'ils ne savent pas ce que tu vis.

Bien sûr, aucun parent ne va sauter de joie en sachant que sa fille de 14 ans est enceinte. Mais malgré tout ce qu'ils ont pu dire devant toi à ce sujet, il n'y a pas une mère ou un père normal qui va tuer sa fille pour ça! Tu vas peut-être avoir droit à une bonne engueulade, mais tôt ou tard l'amour qu'ils ont pour toi (eh oui, ils t'aiment même s'ils sont fâchés) va prendre le dessus.

• Comment puis-je leur annoncer la nouvelle sans me faire tuer?

La meilleure façon est souvent la plus simple. Tu peux leur dire quelque chose du genre: «Papa et (ou) maman, je sais que vous ne serez pas contents. J'ai fait une gaffe. Je suis enceinte et j'ai besoin de votre aide.» Si tu te sens trop gênée pour le dire de vive voix, tu peux leur écrire.

Et si tu es vraiment certaine qu'ils ne le prendront pas, une autre solution consiste à te servir de l'intermédiaire de quelqu'un d'autre. Tu as sûrement une tante, un oncle, un ou une amie de la famille ou une sœur aînée avec qui tu t'entends mieux. Confie-toi à cette personne. Parle-lui de tes appréhensions face à tes parents et demande-lui, soit d'être ton messager, soit encore d'être avec toi lorsque tu leur annonceras la nouvelle.

• Où puis-je aller chercher de l'aide?

À Montréal:

Clinique des jeunes St-Denis

Tél.: (514) 844-9333

- analyse d'urines gratuite et confidentielle;
- information pour te permettre de faire ton choix;
- le cas échéant, référence à un service d'avortement;
- si tu le désires, suivi après ton avortement;
- information sur la contraception.

Grossesse Secours (Montréal)

Tél.: (514) 274-3691

- analyse d'urines gratuites et confidentielles;
- information pour te permettre de faire ton choix;
- le cas échéant, référence à un service d'avortement;
- le cas échéant et si tu es d'accord, référence au Centre Rosalie-Jetté. Tu pourras y poursuivre, et ta grossesse, et tes études.
- don de linge de layette pour le bébé;
- information sur la contraception;
- si tu le désires, suivi après l'avortement.

À Québec:
S.O.S. Grossesse

Tél.: (418) 523-9323

- analyse d'urines confidentielle et presque gratuite (3 $);
- information pour te permettre de faire ton choix;
- le cas échéant, référence à un service d'avortement;
- le cas échéant, référence pour continuer ta grossesse;
- information sur la contraception.

Dans les autres régions du Québec:

Tu peux t'adresser au CLSC de ta région. La plupart d'entre eux ont des intervenants spécialement formés pour répondre aux besoins des filles dans ta situation. Tu trouves le numéro de téléphone dans les pages blanches sous la rubrique **Centre local de services communautaires.**

Un petit plus: l'abécédaire de l'amour[1]

(ou les éléments nécessaires à une sexualité satisfaisante)

1. Article paru dans *Filles D'Aujourd'hui* du mois de juillet 1994.

Amour:

cet aspect, bien que théoriquement non essentiel (on peut avoir des relations sexuelles sans amour) n'en demeure pas moins l'élément clé d'une relation sexuelle satisfaisante. Faire l'amour c'est partager ce que l'on a de plus intime, de plus secret. On ne fait pas ça avec le premier venu. Bien sûr, il faut qu'il y ait une attirance physique, mais sans amour cette attirance se consume très rapidement. Car, quoi qu'on en dise, faire l'amour en amour, il n'y a rien qui batte ça!

Baiser:

du bec en pincette au *french kiss*, en passant par le chaste baisemain, embrasser est l'une des façons les plus répandues de démontrer son affection. Toutefois, la signification du baiser diffère selon les cultures. Ainsi, pour le Latino-Américain, la fille qui consent au *french kiss* consent aussi aux relations sexuelles. C'est important que tu le saches pour éviter tout malentendu pour le moins délicat.

Communication:

la communication, cela se passe à plusieurs niveaux: par la parole, par le corps, par les yeux, par le cœur. Si tous ces éléments sont présents, c'est merveilleux. Par contre, si tu trouves, par exemple, que ton *chum* ne parle pas assez, cela ne signifie pas que tout est perdu. La communication, ça se travaille. Un petit conseil en passant: si tu veux qu'il parle, prends le temps de l'écouter. Je te rappelle qu'écouter ça se fait la bouche fermée et les oreilles ouvertes...

Désir:

sans désir, oublie ça. Tu aimes ton *chum*, tu veux lui faire plaisir, tu te trouves niaiseuse de ne pas l'avoir encore fait, il y a une foule de raisons qui peuvent t'amener à dire oui. Malheureusement, ce sont toutes de mauvaises raisons. Bien sûr, on fait l'amour parce qu'on aime son *chum*, mais même là il faut le désirer. Le désir c'est physique. Ça se ressent au niveau du ventre, des jambes. On se sent fébrile, excitée, on a de la difficulté à penser clairement. C'est une sensation très enivrante et qu'on identifie facilement.

Expérience:

dans une de ses chansons, Daniel Bélanger dit: «On ne fait pas d'erreurs, on ne fait que la vie.» C'est ça l'expérience. On essaie des choses, on espère bien faire. Quelquefois cela se passe tel qu'on l'avait imaginé, quelquefois c'est mieux, d'autres fois on est déçu. Mais plus on prend de l'expérience, plus on se sent en contrôle et plus on apprécie ce qu'on a à vivre. En amour, c'est la même chose. Les premières relations sexuelles sont parfois bien décevantes. C'est souvent simplement dû au manque d'expérience. Et c'est en prenant cette expérience qu'on apprend notre corps et qu'on peut accéder au plaisir. Avec l'expérience, on perd souvent certaines illusions mais on gagne en savoir-faire.

Frigidité:

ça n'existe pas! Être frigide, cela signifie être complètement froide, ne rien ressentir. À partir du moment où tu peux apprécier la chaleur du soleil d'avril sur ta peau, tu ne peux pas être frigide. Par contre, il est possible que tu aies de la difficulté à te laisser aller dans tes relations sexuelles. Ça, c'est une autre histoire... et qui n'a rien à voir avec la frigidité. Ne te colle donc pas cette étiquette péjorative sur le dos.

Garçon:

ils ne sont pas tous pareils. Et comme nous, ils ont leurs inquiétudes, leurs angoisses. Ils ont souvent peur de ne pas être à la hauteur, d'être trop vites en affaires ou tout simplement de ne pas être capables. Comme toi, ils doivent acquérir de l'expérience. Et ce n'est pas plus facile pour eux que pour nous.

Humour:

les bons amants savent rire, non seulement des autres mais aussi d'eux-mêmes. Et il faut parfois bien de l'humour pour passer au travers des petites difficultés que nous rencontrons tous, un jour ou l'autre, dans notre vie sexuelle.

Intimité:

lieu d'intimité. C'est un élément essentiel à une relation sexuelle satisfaisante. C'est malheureusement souvent ce qui manque à ton âge. Faire l'amour à la sauvette, en ayant peur qu'on nous surprenne, il n'y a rien là pour favoriser l'abandon. Et sans abandon, pas de plaisir, encore moins d'orgasme.

Jeu:

il faut savoir s'amuser quand on fait l'amour. On se prend souvent trop au sérieux là-dedans. La sexualité c'est un jeu d'adultes. Être actif sexuellement peut entraîner certaines conséquences et il faut en tenir compte. Ceci dit et assumé, il ne faut craindre ni le rire, ni les petits jeux enfantins (genre la bataille d'oreillers ou le chatouillement mutuel) dans notre sexualité. Ce sont ces petites choses qui nous empêchent de sombrer dans la routine.

Liberté:

je suis libre de faire ce que je veux mais je ne peux imposer mes choix aux autres. Ainsi, tu ne peux forcer ton partenaire à faire des gestes avec lesquels il ne se sent pas à l'aise. Cette limite vaut aussi pour lui. Ce n'est que dans un contexte de liberté partagée qu'on peut bien vivre sa sexualité.

MTS:

Maladie Transmissible Sexuellement. Sujet «plate» entre tous. Tu n'es plus capable d'en entendre parler. Mais que cela ne t'empêche pas de te protéger. Et le moyen le plus efficace de le faire demeure toujours l'utilisation du condom.

P.S.: Ce n'est pas parce que tu ne vois pas de boutons, de plaie ou d'écoulement bizarre, qu'il n'y a pas de maladies. Certaines sont bien silencieuses et hypocrites mais n'en demeurent pas moins très dangereuses.

Normalité:

qu'est-ce qui est normal, qu'est-ce qui ne l'est pas? En matière de sexualité, ce concept est difficile à définir. À partir du moment où le principe de liberté mutuelle est respecté, où on ne met ni sa vie, ni sa santé en danger, ni bien sûr la vie de l'autre et sa santé en danger, et finalement où on n'associe pas des enfants dans nos activités intimes, on peut dire que notre sexualité est «normale».

Orgasme:

rarement au rendez-vous les premières fois. Et c'est tout à fait normal. Car pour pouvoir l'atteindre, il faut beaucoup d'abandon, être capable de se laisser aller totalement. Ce qui n'est pas toujours le cas lorsqu'on a peu ou pas d'expérience. Plus tu te connaîtras, plus tu sauras ce que ton corps apprécie, plus tu as de chances d'atteindre l'orgasme. Mais cela ne veut pas dire que tu l'atteindras à chaque relation. Rares sont les femmes qui ont l'orgasme à tout coup.

Comment savoir s'il s'agit vraiment d'un orgasme? Bien qu'aucune femme n'en donne la même définition, c'est une sensation tellement spéciale que tu la reconnaîtras immédiatement. Quant aux sortes d'orgasmes (vaginal ou clitoridien) ne t'en préoccupe pas. Certaines femmes atteignent plus facilement le premier tandis que d'autres sont des abonnées du deuxième type. Mais, finalement, ce qui compte vraiment, c'est ta satisfaction, quelle que soit l'origine de ton orgasme.

Pénétration:

c'est une partie de la relation sexuelle mais ce n'est pas TOUTE la relation. Pour vivre une pénétration agréable, il faut que tu sois suffisamment lubrifiée (mouillée) et détendue. Il faut aussi que tu désires être pénétrée. Sinon, il se peut que tu te contractes et que la pénétration soit très douloureuse ou même impossible. De plus, comme les hommes jeunes sont souvent vites en affaires, ne t'attends pas à avoir un orgasme vaginal après 30 secondes de pénétration. Cela prend un peu plus de temps pour pouvoir apprécier les plaisirs propres à cette partie de la relation.

Qu'en-dira-t-on:

si tu veux te sentir malheureuse dans ta sexualité, occupe-toi des qu'en-dira-t-on. Si tu fais l'amour, il y en a qui diront que tu es une putain et si tu ne le fais pas, d'autres décideront que tu es une «P.D.». D'un côté comme de l'autre, certaines personnes te jugeront. C'est pourquoi je te suggère fortement de te fier à ce que tu ressens intérieurement et à suivre les valeurs qui sont les tiennes. Et si tu n'es pas certaine de ce que tu dois faire, alors va voir un adulte en qui tu as confiance.

Respect:

sans respect, la relation n'existe pas. Quand on fait l'amour, on entre en relation avec quelqu'un. C'est d'ailleurs pour cela qu'on parle de «relation» sexuelle. Pour que celle-ci soit enrichissante, on doit respecter l'autre; il faut aussi que l'autre nous respecte et, surtout, qu'on se respecte soi-même. Respecter l'autre, cela signifie d'être attentif à ses besoins et à ses limites, d'essayer de lui faire plaisir et de ne pas exiger des choses avec lesquelles il ne se sent pas à l'aise. Se respecter, cela signifie aussi d'être attentive à nos besoins et nos limites et de ne pas s'obliger à faire des choses avec lesquelles on ne se sent pas en accord.

Séduction:

il y a bien des manières de séduire l'autre. On le séduit par ce qu'on est, bien sûr, mais aussi par ce qu'on fait. S'habiller, se coiffer pour l'autre, lui faire une petite surprise, lui écrire un mot doux, voilà différentes façons de le séduire. Ce n'est pas qu'à toi de le séduire. Il doit aussi y mettre du sien. Car à partir du moment où un couple cesse de se séduire, de faire des efforts pour conquérir l'autre, on tient l'autre pour acquis. Et la routine s'installe. Et avec elle vient l'ennui. C'est souvent à ce moment-là qu'on commence à regarder ailleurs.

Tendresse:

un autre élément essentiel à une relation sexuelle satisfaisante. La tendresse, ça se passe pendant, bien sûr, mais aussi avant et après l'amour. Les gars ont parfois de la difficulté avec ce type de comportement qu'ils confondent souvent avec du «tétage». C'est dû, la plupart du temps, au manque d'expérience et à une méconnaissance des besoins de leur partenaire. Pourtant, on n'a pas besoin d'être «téteux» pour être tendre. Il s'agit simplement d'avoir un peu plus de douceur dans les gestes, de faire attention aux réactions de l'autre, d'être capable de dire, même maladroitement, «je t'aime». Plus facile à dire qu'à faire... je sais. Mais possible tout de même.

Unique:

chaque amour est unique. Chaque relation sexuelle l'est aussi. D'une fois à l'autre, ce n'est pas la même chose qui se passe. Les gestes faits sont peut-être semblables mais comme notre état d'âme diffère d'une journée à l'autre, on ne peut vivre deux fois la même relation sexuelle. Et c'est bien correct comme ça!

Valeur:

chaque personne a des valeurs qui lui sont propres. Valeurs spirituelles ou simplement d'ordre moral, pour être bien dans sa sexualité, il faut se sentir en accord avec elles. Si, par exemple, pour toi l'aventure d'un soir fait partie des choses inacceptables, alors il est évident que si tu te retrouves dans une telle situation, tu te sentiras très mal dans ta peau. Avec le temps et l'expérience, nos valeurs évoluent, ce qui ne veut pas dire qu'elles disparaissent. On garde toujours certaines valeurs mais elles peuvent se modifier en cours de route.

Wow!:

après une relation sexuelle satisfaisante, c'est parfois ce que l'on aurait le goût de s'écrier. En tout cas, c'est ce que je te souhaite.

Xérès:

vin blanc sec produit dans la région de Cadix (Espagne). C'est quoi le rapport avec la sexualité? Le vin c'est de l'alcool. Bien qu'un petit verre puisse parfois aider à se détendre, sexe et alcool ne font pas bon ménage. Du côté du gars, une surconsommation d'alcool peut lui enlever tous ses moyens. De ton côté, tes sensations seront diminuées et tu accepteras peut-être des choses qu'autrement tu aurais refusées. Et ce n'est pas certain que tu te souviennes de tout le lendemain matin...

Yeux:

les yeux, dit-on, sont le miroir de l'âme. Pour savoir ce que l'autre ressent, rien ne vaut le regard. Faire l'amour en regardant l'autre dans les yeux, c'est entrer en relation avec lui encore plus intensément. C'est pourquoi il serait malheureux que tu fasses l'amour dans le noir le plus total. Tu te priverais d'un grand plaisir. Remarque, à l'autre extrême, je ne te conseille pas non plus un éclairage de dépanneur. Privilégie une lumière tamisée... pourquoi pas avec quelques bougies?

Zénith:

selon le dictionnaire, ça signifie «degré le plus élevé, apogée». On ne l'atteint pas toujours, il ne faut surtout pas courir après, mais quand ça arrive, c'est super!

Toujours disponibles chez votre libraire

ÉDIMAG inc.

Biographie

ROBI, ALYS, Un long cri dans la nuit
(ISBN: 2-921207-34-6) .... 19,95$

Cuisine

GAGNON, LOUISE, La cuisine au tofu (ISBN: 2-921207-90-7)
(ISBN: 2-921207-34-6) .... 12,95$

Ésotérisme

BISSONNETTE, DANIELLE, Graphologie et connaissance de soi
(ISBN: 2-921207-14-1) .... 14,95$

LELUS, ÉLIE, Vivez mieux en connaissant vos vies antérieures
(ISBN: 2-921207-87-7 .... 12,95$

RICHARD, PIERRE, Les prophéties de Nostradamus
(ISBN: 2-921207-43-5) .... 5,95$

CHAYER, LIONEL, Comment tirer aux cartes...
comme le faisait ma mère. (ISBN: 2-921207-88-5) .... 10,95$

Humour

BLANCHARD, CLAUDE, Les meilleures histoires drôles
(ISBN: 2-921207-08-7) .... 7,95$

TURBIDE, SERGE , Et voici Jean-Pierre
(ISBN: 2-921207-81-8) .... 12,95$

Philatélie

BIERMANS, STANLEY M. , Les plus grands collectionneurs de timbres
au monde (ISBN: 2-921207-77-X) .... 26,95$

Relation d'aide

POWELL, TAG & JUDITH, La méthode Silva – La maîtrise de la pensée
(ISBN: 2-921207-82-6) .... 19,95$

VIGEANT, YOLANDE, Espoir pour les mal-aimés
(ISBN: 2-921207-11-7) .... 19,95$

Santé

BOISVERT, MICHÈLE, Comment se soulager de l'arthrose (ISBN: 2-921207-85-0) ....8,95$

BOISVERT, MICHÈLE, Comment se soulager des maux de tête et des migraines (ISBN: 2-921207-91-5) ....8,95$

BOISVERT, MICHÈLE, La santé, c'est votre affaire – Le guide de l'Homéopathie (ISBN: 2-921207-45-1) ....19,95$

BOISVERT, MICHÈLE, Libérez-vous de vos allergies (ISBN: 2-921207-78-8) ....8,95$

BOISVERT, MICHÈLE, Retrouvez votre forme avec les oligo-éléments (ISBN: 2-921207-84) ....8,95$

CHALIFOUX, ANNE-MARIE, Mon guide santé (ISBN: 2-921207-02-8) ....14,95$

COUSINEAU, SUZANNE, Espoir pour les hypoglycémiques (ISBN: 2-921207-44-3) ....17,95$

De LONGPRÉ, LUCY, L'Aloès une plante aux nombreuses vertus (ISBN: 2-921207-89-3) ....7,95$

LEFRANÇOIS, JULIE, La technique respiratoire (ISBN: 2-921207-18-4) ....15,95$

OUELLETTE, ROSE, Comment bien vieillir (ISBN: 2-921207-17-6) ....11,95$

PROULX-SAMMUT, LUCETTE, La ménopause mieux comprise, mieux vécue (ISBN: 2-921207-76-1) ....23,95$

PROULX-SAMMUT, LUCETTE, Son andropause mieux comprise, mieux vécue (ISBN: 2-921207-86-9) ....13,95$

Sexualité

BOUCHARD, CLAIRE, Comment devenir et rester une femme épanouie sexuellement (ISBN: 2-921207-01-X) ....16,95$

BOUCHARD, CLAIRE, L'orgasme, de la compréhension à la satisfaction (ISBN: 2-921207-09-5) ....16,95$

BOUCHARD, CLAIRE, Tests pour amoureux (ISBN: 2-921207-10-9) ....22,95$

BOUCHARD, CLAIRE, Le point G (ISBN: 2-921207-23-0) ....5,95$

BOUCHARD, CLAIRE, La jouissance féminine (ISBN: 2-921207-80-X) ....14,95$

BOUCHARD, CLAIRE, Toi, l'amour, la sexualité (ISBN: 2-921207-97-4) ....13,95$

BOUDREAU, YVES, Les fantasmes: la clé d'une vie sexuelle épanouie
(ISBN: 2-921207-92-3) .... 12,95$
De ANGELIS, BARBARA, Les secrets sur les hommes que toute femme devrait savoir (ISBN: 2-921207-79-6) .... 23,95$
NADEAU, PIERRE, Moments tendres et sensuels
(ISBN: 2-921207-69-9) .... 4,95$
WESTHEIMER, RUTH Dr, Mon guide de la sexualité
(ISBN: 2-921207-75-3) .... 23,77$

Sports

GAUDREAU, FRANÇOIS, 100 conseils pour bâtir une collection de cartes (ISBN: 2-921207-60-5) .... 5,95$

LES ÉDITIONS DU PERROQUET inc.

Amour

52 façons de dire «Je t'aime» (ISBN: 2-921487-02-0) .... 17,95$

Ésotérisme

HALEY, LOUISE, Astrologie, sexualité, sensualité, sentimentalité
(ISBN: 2-921487-10-1 .... 16,95$
HALEY, LOUISE, Comprendre les rêves et leurs pouvoirs
(ISBN: 2-921487-03-9) .... 19,95$
SCALABRINI-VIGER, LOUISE, Utiliser le pouvoir des pierres
(ISBN: 2-921487-07-1) .... 17,95$

Santé

DAIGNAULT, DANIEL, Comment vous protéger du soleil
(ISBN: 2-921487-04-7) .... 5,95$